Dossiers et Documents

Collection dirigée par
Anne-Marie Villeneuve

Du même auteur

La Crise manufacturière au Québec, Montréal, Les Éditions Quebecor, 2008.
L'Histoire des meilleures PME du Québec, Montréal, Les Éditions Quebecor, 1996.

AUTOPSIE DU
SCANDALE NORBOURG

Catalogage avant publication de Bibliothèque et Archives nationales du Québec et Bibliothèque et Archives Canada

Laprade, Yvon
Autopsie du scandale Norbourg: l'histoire d'un escroc et de ses 9200 victimes
(Dossiers et documents)
ISBN 978-2-7644-0736-3
1. Groupe Norbourg (Firme) - Pratiques déloyales - Québec (Province).
2. Sociétés d'investissement - Pratiques déloyales - Québec (Province).
3. Infractions économiques - Québec (Province). 4. Lacroix, Vincent.
5. Marché financier - Contrôle de l'État - Québec (Province). 6. Investisseurs individuels - Protection - Québec (Province). I. Titre. II. Collection: Dossiers et documents (Éditions Québec Amérique).
HV6771.C32Q4 2009   364.16'8   C2009-942182-8

Conseil des Arts du Canada   Canada Council for the Arts   SODEC Québec

Nous reconnaissons l'aide financière du gouvernement du Canada par l'entremise du Programme d'aide au développement de l'industrie de l'édition (PADIÉ) pour nos activités d'édition.

Gouvernement du Québec – Programme de crédit d'impôt pour l'édition de livres – Gestion SODEC.

Les Éditions Québec Amérique bénéficient du programme de subvention globale du Conseil des Arts du Canada. Elles tiennent également à remercier la SODEC pour son appui financier.

Québec Amérique
329, rue de la Commune Ouest, 3ᵉ étage
Montréal (Québec) Canada H2Y 2E1
Téléphone: 514 499-3000, télécopieur: 514 499-3010

Dépôt légal: 4ᵉ trimestre 2009
Bibliothèque nationale du Québec
Bibliothèque nationale du Canada

Mise en pages: Karine Raymond
Révision linguistique: Luc Baranger et Diane-Monique Daviau
Conception graphique: Nathalie Caron
Projet dirigé par Anne-Marie Villeneuve

YVON LAPRADE

AUTOPSIE DU
SCANDALE NORBOURG

PRÉFACE DE MICHEL NADEAU

L'HISTOIRE D'UN ESCROC ET DE SES 9 200 VICTIMES

> LES DESSOUS DE L'AFFAIRE
> LES COMPLICES VOLONTAIRES ET INVOLONTAIRES
> LES RÉACTIONS DES FINANCIERS QUÉBÉCOIS

QUÉBEC AMÉRIQUE

À ces épargnants qui, dans bien des cas, ont vu s'envoler les économies de toute une vie. À ces investisseurs également, dont les rêves d'une retraite confortable sont devenus des cauchemars. À ces victimes qui se raccrochent enfin à un ultime espoir.

TABLE DES MATIÈRES

Je n'aurais jamais été en mesure d'écrire ce livre sans la précieuse et essentielle collaboration de spécialistes, de témoins et de collègues journalistes, qui ont scruté les faits et gestes de Vincent Lacroix. Je tiens particulièrement à remercier Gilles Robillard, Marie-Agnès Thellier, Alain Bisson, Gilles des Roberts et Claude Martel. Un merci tout spécial à Josée, ma fidèle et éternelle collaboratrice, ma complice. Par ailleurs, j'ai puisé dans les travaux de recherches et d'enquêtes de collègues journalistes, qui ont « couvert » l'affaire Norbourg. Je ne peux les nommer tous et toutes mais je suis convaincu qu'ils se reconnaîtront à travers mes écrits. Bonne lecture !

Il est illusoire de penser qu'on parviendra un jour à éliminer complètement les risques de fraudes dans les institutions financières. Certaines personnes ne pourront pas résister à la tentation de prendre un raccourci vers la richesse. Ces individus repousseront toujours les frontières de l'imagination dans les moyens de flouer les systèmes en place.

Mais l'analyse de la plus grande fraude dans l'histoire financière des épargnants québécois, que raconte avec beaucoup de justesse Yvon Laprade, nous permet d'identifier les carences du système et l'absence de vigilance des autorités réglementaires et peut-être des épargnants.

L'auteur relate l'évolution d'un homme qui, au départ, ne semble pas prédisposé à commettre une série d'actes frauduleux. Le patron de Norbourg a découvert comment il était facile de transférer des fonds au moyen d'un simple « clic ». Il est renversant de voir comment le système de reddition de compte était élémentaire pour un individu qui avait la responsabilité de la gestion des fonds communs de placement Norbourg et Évolution totalisant 205,2 M$ au moment de la découverte de la fraude. Plusieurs observateurs s'interrogeaient sur la croissance fulgurante des avoirs sous contrôle de Norbourg. Comment une telle ascension pouvait-elle s'expliquer ? D'où venaient les fonds pour ces acquisitions en série ?

Le présent ouvrage montre comment une fraude peut être mise en place par un nombre très limité de personnes, d'où l'importance d'améliorer la vigilance tant à l'interne qu'à l'externe. La gouvernance des fonds communs devrait être améliorée par la désignation d'un conseil de surveillance des fonds qui jouerait le rôle de conseil d'administration et de comité de vérification pour suivre les opérations du gestionnaire. Il ne faut plus laisser à un petit nombre de personnes le contrôle quasi complet de sommes considérables appartenant à des milliers d'épargnants. À l'extérieur, l'Autorité des marchés financiers doit suivre de beaucoup plus près ces gestionnaires privés qui doivent déployer des efforts inouïs pour concurrencer les grandes institutions bancaires et d'assurances en place.

Le travail d'Yvon Laprade nous permet de revoir les grands moments de cette fraude. Il nous aide à tirer les leçons de cette triste histoire qui a bouleversé la vie de plus de 9 000 épargnants obligés désormais de trouver d'autres sources de revenus. Ces drames humains ne doivent plus se répéter. Aussi, la lecture de ce livre nous rappellera que, dans notre course vers les gains et le rendement, les devoirs de prudence, de diversification et de vérification feront toujours partie des obligations de l'épargnant.

Michel Nadeau

Directeur général de l'Institut sur la gouvernance et ex-vice-président à la Caisse de dépôt et placement du Québec

L'affaire Norbourg fait désormais partie des plus grands scandales économiques que le Québec ait jamais connus. Ce constat, ils sont nombreux à l'avoir fait avant nous. Les 9 200 victimes peuvent en témoigner. Il s'agissait toutefois d'aller plus loin. C'est ce que nous avons tenté d'accomplir en nous faisant les témoins d'une affaire de fraude qui a laissé des cicatrices profondes. Nous avons réalisé de nombreuses entrevues avec ces témoins qui ont participé, de façon directe ou indirecte, à cette triste histoire. Ceux et celles qui ont accepté de nous parler ont des versions souvent contradictoires sur la façon dont les activités ont été menées chez Norbourg durant l'ère Vincent Lacroix. Qui a dit vrai ? Qui a menti ? Nous n'avons pas la prétention de raconter toute l'affaire Norbourg sans en avoir oublié quelques « petits morceaux »… Nous nous sommes appuyés sur des témoignages, livrés devant les tribunaux, ou en présence du syndic aux sociétés Norbourg, qui se voulaient dignes de foi. Nous croyons avoir produit une radiographie assez précise qui vous permettra de retracer le fil des événements. Ce livre a été écrit pour ces épargnants qui attendent impatiemment, dans leur coin, tandis que devant les tribunaux, les avocats continuent de s'affronter. Le combat semble inégal : les victimes constatent qu'une entente semble hors de leur portée. Ces investisseurs floués, ce sont des travailleurs, des professionnels, de simples épargnants et d'honnêtes retraités à qui on a volé les économies de toute une vie, des épargnes chèrement acquises.

L'affaire Norbourg a éclaté le 25 août 2005. Il y a eu des coupables, et de nombreuses victimes. Il y a eu, aussi, des « responsables », des institutions financières, des organismes de contrôle et de surveillance, qui n'ont pas été des plus alertes. Nous allons tenter de comprendre comment tout ce beau monde a pu laisser Vincent Lacroix et sa bande ruiner les épargnants. Nous nous garderons de porter des accusations. Nous laisserons témoigner ceux et celles qui en ont gros sur le cœur. Nous avons mesuré l'impact des collaborateurs de Vincent Lacroix, qu'on pense à David Simoneau, Jean Cholette, Félicien Souka, Serge Beugré, Jean Renaud, et du « facilitateur », le comptable Rémi Deschambault. Nous verrons comment Éric Asselin, le bras droit de Vincent Lacroix, est devenu son bras gauche à l'été 2005.

L'affaire Norbourg n'est pas encore une affaire classée ; elle ne le sera pas tant que les investisseurs n'auront pas été remboursés, avec intérêts. Nous souhaitons que ce message soit entendu et que les responsables de ce gâchis, témoins d'une fraude qui aurait pu être évitée, assumeront pleinement leurs responsabilités. Nous avons écrit ce livre pour les victimes, nous ne le répéterons jamais assez. S'il peut mettre un peu de baume sur leurs plaies béantes – et s'il peut contribuer à rendre plus prudents les investisseurs aveuglés par les rendements proposés par leur courtier –, c'est tant mieux. Nous n'aurons pas écrit toutes ces pages pour rien. Supercherie ou arnaque, l'affaire Norbourg ? Comédie d'erreurs, ou histoire d'horreurs ? Le mystère semble sans… fond.

PREMIÈRE PARTIE
SUR LA ROUTE DE NORBOURG

Jean-Guy Houle se souviendra à tout jamais de ce mardi matin glacial du 23 janvier 2003. Un événement dramatique venait de se produire dans sa famille. Ce jour-là, son fils unique, Danny Houle, 37 ans, s'est tué dans un accident de la route. La tragédie a aussi causé la mort de sa belle-fille, Chantal, et d'une de ses petites-filles, Cassandra, 4 ans. Jean-Guy Houle venait de prendre sa retraite. Il allait avoir 60 ans. Ce travailleur de la construction avait l'impression qu'un mur de briques venait de s'écrouler sur lui. Quelques mois après ce drame, il est confronté à la cruelle réalité. Il est désigné tuteur de l'héritage laissé aux deux orphelines Daphney et Abygail. Le montant à placer est substantiel : 195 000 $. Il songe d'abord à acheter un immeuble à logements pour les deux filles. La Curatelle publique lui refuse cette option. Il consulte son courtier qui lui recommande d'investir l'argent dans les fonds communs de placement Évolution. Ce placement n'est pas à risque, compte tenu, croit-il, que les fonds appartiennent à Capital Teraxis, qui fait partie de Services financiers CDPQ (alors filiale de la Caisse de dépôt et placement du Québec). Capital Teraxis a été créée en octobre 1998 par la Caisse.

Au printemps 2003, Jean-Guy Houle joue son rôle de tuteur de façon responsable. Il reçoit des relevés périodiques lui démontrant que les rendements des fonds Évolution sont tout à fait raisonnables. Il est convaincu que le triste héritage de ses petites-filles est à l'abri. Le vent va tourner. C'est le calme avant la tempête. Le 19 décembre 2003, Vincent Lacroix et Norbourg achètent les fonds Évolution gorgés d'actifs de 132,4 M$. Ces fonds communs de placement appartiennent à des épargnants québécois qui ont investi dans ce véhicule financier en misant sur la crédibilité et la solidité de la Caisse. C'est aussi le cas de Jean-Guy Houle. En janvier 2004, un autre coup de vent balaie la Caisse. Cette fois, Vincent Lacroix met la main sur Capital Teraxis, le réseau de distribution de fonds, également propriété de la Caisse.

Au cours des mois suivant la transaction, Jean-Guy Houle ignore encore que l'héritage des orphelines est désormais entre les mains de Vincent Lacroix. Il n'en a tout simplement pas été informé. À cette époque, il sait très peu de choses à propos de Norbourg… jusqu'à ce que son courtier soit invité à une soirée « mondaine », dans les locaux de la firme de placement.

« Mon courtier est revenu estomaqué de cette soirée. Il m'a dit qu'il n'avait pas confiance en Lacroix. Il n'avait pas aimé ce qu'il avait vu de ce personnage qui semblait déjà au-dessus de ses affaires. On a songé à retirer notre argent des fonds. Mais il y avait une pénalité de 15 000 $ (7 500 $ pour chacun d'eux) qui était rattachée à ce retrait avant terme. On a finalement pris la décision de rester », se souvient-il.

Cette décision a coûté 195 000 $ à Jean-Guy Houle, ou plutôt aux deux orphelines, dont l'héritage a été dilapidé par le financier déchu. On connaît la suite des événements.

Le 25 août 2005, l'Équipe intégrée de la police des marchés financiers (ÉIPMF) de la GRC débarquait avec fracas dans les locaux du Groupe Norbourg, au 5ᵉ étage du 615 boulevard René-Lévesque Ouest, avec un mandat de perquisition obtenu de la cour par l'Autorité des marchés financiers (AMF[1]).

Pas moins de neuf perquisitions sont alors effectuées par l'AMF, de concert avec la GRC, à différents endroits reliés aux activités des sociétés du Groupe Norbourg et de Vincent Lacroix.

Le scandale Norbourg éclate. On apprend, avec colère et stupeur, que Lacroix est un arnaqueur à cravate. L'AMF soutient avoir de bonnes raisons de croire que Lacroix a détourné des fonds à son profit. Elle ordonne l'arrêt des activités de la firme de placement et le gel de ses actifs. La firme de vérificateurs comptables Ernst & Young sera appelée en renfort. Elle se chargera de l'administration provisoire de Norbourg, à la demande du ministre des Finances du Québec, Michel Audet.

Dans son rapport du 26 septembre 2005, un mois après les perquisitions, Ernst & Young en arrivera à la conclusion que 130,1 M$ ont été détournés, sur un total d'actifs de 205,2 M$ dans les fonds

---

1. L'Autorité des marchés financiers (AMF) a été créée le 12 janvier 2004. Elle succédera alors à la Commission des valeurs mobilières du Québec (CVMQ).

Norbourg et Évolution[2]. La firme comptable estime que Vincent Lacroix s'est servi de l'argent de ses clients-investisseurs pour faire des acquisitions, financer ses propres activités et s'octroyer un train de vie princier. Près de la moitié des fonds détournés appartenant aux investisseurs ont enrichi Vincent Lacroix, sa famille, ses amis.

Plusieurs victimes l'ont soupçonné d'avoir déposé quelques millions de dollars dans des abris fiscaux, à Nassau, aux Bahamas, et même à Fribourg, en Suisse, où il se rendait régulièrement lors de nombreux voyages d'affaires. Toutefois, à ce jour, rien n'a permis de conclure qu'il aurait blanchi de l'argent dans des paradis de bord de mer. Dans les faits, il ne restait plus que 75,1 M$ dans les coffres de l'entreprise quand la GRC et l'AMF investirent les bureaux de Norbourg.

Cette affaire a été hypermédiatisée, et avec raison. Les victimes n'étaient pas, pour la majorité d'entre elles, des investisseurs fortunés, ni des spéculateurs; elles voulaient simplement réaliser des rendements appréciables grâce à des placements « responsables et avisés » en faisant appel aux conseils d'une équipe de gestionnaires qu'elles croyaient aguerris. Ces investisseurs n'ont jamais imaginé que Norbourg, cet éphémère *success story* du monde de la finance, était un puits sans fond. Une passoire. La vérité, c'est que Norbourg était un *one man show*. C'était l'affaire de Vincent Lacroix, passé maître dans l'art de manipuler ceux et celles qu'il côtoyait dans la vie de tous les jours. Ce scandale a brisé des vies, tué des rêves, fait éclater des familles. La quasi-totalité des victimes ont préféré vivre leur drame dans l'anonymat, loin des projecteurs, loin des médias.

Jean-Guy Houle a plutôt choisi de livrer le fond de sa pensée. Mais ça lui fait mal chaque fois qu'il évoque les douloureux souvenirs de Norbourg. Ça lui rappelle chaque fois la mort de son fils.

« Je ne peux faire autrement, dit-il. Ce drame-là ne s'effacera jamais de ma mémoire. Il y a toutefois un autre drame dont j'aurais bien pu me passer. Tout cet argent que nous a volé Vincent Lacroix, il appartenait à mes deux petites-filles. Cet argent devait servir à payer

_____

2. Selon les relevés de la firme Ernst & Young, Vincent Lacroix aurait vidé les fonds Évolution et Perfolio pour une somme de 79 M$, au 24 août 2005. Les fonds Norbourg ont pour leur part été « liquidés » pour une somme de 31 M$. Un montant de 15 M$ était manquant dans les « relevés » de Norbourg. Il s'agissait de rendements fictifs établis par Lacroix avant que la GRC et l'AMF mettent fin à ses activités frauduleuses.

leurs études, à affronter la vie avec un petit coussin financier, qui ne remplacera cependant jamais la présence de leur père et de leur mère », lance-t-il sur un ton lapidaire.

Mais avant de nous attarder plus en profondeur sur le sort des investisseurs floués qui, comme Jean-Guy Houle, rongent leur frein depuis plus de quatre ans, faisons un retour en arrière. Revenons dans le passé. Essayons de voir comment un certain Vincent Lacroix a jeté les fondations de ce qui deviendra son petit empire.

Adolescent, Vincent Lacroix se fait appeler « Chief » par ses camarades de l'école secondaire qu'il fréquente. Il a des rêves, des passions et de l'ambition. Il souhaite un jour avoir son condo en Floride, sous les palmiers, et « une couple de belles femmes ». On reconnaît ses talents au soccer et au hockey. Il se décrit comme étant « assez intelligent, paresseux et pas nerveux ». Il a aussi pour idole… lui-même. Au début des années 1980, voilà comment se décrit l'adolescent de Magog dans le cahier de présentation des élèves de sa classe. Une photo accompagne cette description : c'est celle d'un jeune peu souriant et portant les cheveux relativement longs.

À l'Université de Sherbrooke, où il fera une maîtrise en finance et en administration, Vincent Lacroix sera considéré comme « un élève très moyen » par ses professeurs. C'est avec ses diplômes en main qu'il débarquera à Montréal. Il a 24 ans. Nous sommes le 16 septembre 1991. Ce jour-là, il entreprend avec enthousiasme une carrière d'analyste à la répartition d'actifs à la Caisse de dépôt et placement du Québec.

Il travaillera sous la supervision de Michel Nadeau. Il apprendra le métier. « C'était un travailleur robuste. Mais il n'était pas étincelant. Il n'était pas plus intelligent que la moyenne », résume son ex-patron. « Il donnait l'image d'un jeune homme qui a quitté sa région dans l'espoir de venir faire ses preuves en ville », se souvient l'ex-numéro deux de la Caisse.

Vincent Lacroix s'occupera des marchés internationaux, dans les produits dérivés, pour l'équipe de placements tactiques. Il noue des relations, se fait des « amis ». La Caisse est un gros laboratoire pour le jeune analyste natif des Cantons de l'Est. Mais c'est aussi une cage de verre, au sens propre comme au figuré. Le jeune homme rêve d'occuper un jour un plus grand fauteuil. Pourquoi pas celui de PDG d'une firme de placement ?

« Paul Desmarais a bien commencé dans les autobus », se plaît-il à répéter au sujet de cet entrepreneur natif de Sudbury qui avait acquis une compagnie d'autobus quasi en faillite pour le montant symbolique de 1 $. Il est ambitieux et il veut qu'on le prenne au sérieux. Cependant, la comparaison avec celui qui deviendra président milliardaire de Power Corporation s'arrête là.

Le bas de laine des Québécois devient donc beaucoup trop étroit. Lacroix quittera la Caisse en décembre 1994, trois ans après y être entré. En janvier 1995, il sera « recruté » par la firme de courtage en valeurs mobilières Maxima Capital[3] dirigée par Gilles Bertrand. Il y occupera le poste de vice-président responsable des actions. Son rôle consistera à diriger une équipe d'analystes et de *traders*.

Au bout de deux ans, un nouveau défi l'attend. En janvier 1997, il participe au démarrage de la firme Kogeva Investissement, aux côtés de Vital Proulx. L'expérience n'est pas concluante. En décembre 1997, il plie bagage. Il prétendra être en désaccord avec la décision de ses associés de vendre à Natcan, une firme appartenant à la Banque Nationale.

En janvier 1998, à l'aube de la trentaine, il a trouvé sa voie. Il sera PDG du Groupe financier Norbourg. Vincent Lacroix est persuadé qu'il pourra faire de grandes choses dans l'industrie des fonds communs de placement. Nous ne sommes plus en présence d'un timide analyste. Un peu plus de six années se sont écoulées depuis son entrée sur le marché montréalais du travail. Les portes du Québec financier vont bientôt s'ouvrir devant lui. Mais avant de régner sur Norbourg, il devra se constituer une petite équipe de collaborateurs. Ces valeureux « soldats » devront faire la preuve qu'ils sont prêts à aller au front pour défendre ses objectifs.

---

3. Maxima Capital fera faillite le 16 mai 2001.

En 1995, tandis que Vincent Lacroix prend du galon chez Maxima Capital, un autre jeune homme dans la vingtaine, Éric Asselin, fait ses débuts à titre de directeur de la comptabilité chez Gestion immobilière du Québec Métro. Il y restera un an, tout comme Vincent Lacroix chez Maxima Capital. Ils ne se connaissent pas encore : Asselin vit dans la région de Québec et Lacroix à Montréal.

En août 1996, Asselin entre dans la Fonction publique québécoise. Le ministère du Revenu en fait son vérificateur aux enquêtes spéciales. Deux ans et demi plus tard, il se retrouve à la Commission des valeurs mobilières du Québec (CVMQ), où il sera inspecteur, puis enquêteur.

Éric Asselin n'a pas peur de la grosse besogne. Il a du talent et ses qualités sont reconnues dans le milieu hermétique de la vérification. Il a une haute estime de lui-même. Il a plusieurs cordes à son arc et une solide formation académique. Ses nombreux diplômes attestent de ses spécialisations. Il a un baccalauréat en administration des affaires de l'Université Laval, spécialité en comptabilité. Il est CGA, CFI (Certified Fraud Investigation), et il a fait des études pour devenir CFE (Certified Fraud Examiner). Il est également planificateur financier. Il lui manque seulement un cours pour être fellow de l'Institut canadien des valeurs mobilières.

Le fonctionnaire est aussi un joueur de balle molle. Il porte l'uniforme de la CVMQ dans une ligue amicale qui regroupe des équipes de l'industrie du placement et de l'investissement, telles que Talvest, RBC, ou encore la Bourse de Montréal. C'est un joueur ordinaire « qui essayait constamment de frapper des coups de circuits », nous dira un de ses ex-coéquipiers.

Asselin est enquêteur à la CVMQ, en janvier 2001, quand il fait la connaissance de Lacroix. Asselin est affecté au dossier Maxima Capital, un courtier en difficulté financière faisant l'objet d'une enquête relativement à des « transactions irrégulières ». De son côté, Lacroix est intéressé depuis l'automne 2000 à acheter le courtier. Il a versé un « dépôt » d'un demi-million, sous la forme d'un « prêt convertible » en actions, en vue d'en faire l'acquisition. Lacroix est prêt à payer 3 M$, *cash*, sans faire d'emprunt bancaire, pour devenir propriétaire de Maxima Capital.

L'enquêteur se fera la main dans ce dossier. Il prendra aussi beaucoup d'initiatives. En mars 2001, il expliquera au patron de Norbourg qu'il vaut mieux renoncer à acheter Maxima Capital, dont les jours sont alors comptés. Il fera valoir à Lacroix que ses patrons à la CVMQ doutent fortement de la provenance des fonds dont le patron de Norbourg disposerait pour rafler Maxima Capital.

Asselin profitera de l'occasion pour glisser à l'oreille de Lacroix qu'il pourrait intervenir en sa faveur dans un dossier « prioritaire » chez Norbourg. Depuis un certain temps, Lacroix souhaite obtenir des autorisations de la CVMQ en vue du lancement de six fonds communs de placement. Ces autorisations tardent toutefois à venir.

— Je peux t'aider du côté des fonds mutuels, dira Asselin à l'intention du président de Norbourg, vers la mi-mars.[4]

Asselin fera beaucoup plus qu'« aider » son nouvel ami. Le 28 mars 2001, grâce à son intervention, Norbourg obtiendra les autorisations requises. Lacroix prend le soleil sur les plages de Cuba quand il reçoit un fax confirmant que les fonds communs sont « approuvés ». En ce début de printemps, Asselin vient de marquer des points. Lacroix dira lui avoir versé une « commission » de 10 000 $, payée *cash*, en deux versements, pour avoir manœuvré parfaitement en faveur de Norbourg.

Asselin aime l'argent, et il est prêt à tout pour gravir les échelons. En mars 2002, le fonctionnaire entre « officiellement » chez Norbourg où il sera vice-président finances. Il a 32 ans. Bien servi par un solide réseau de contacts, il deviendra le bras droit de Vincent Lacroix. D'ailleurs, quand le PDG de Norbourg sera absent, ce sera lui le *boss*. Il apprendra à travailler avec un financier au style brouillon et frondeur.

---

4. Éric Asselin n'a pas été accusé dans l'affaire Norbourg, compte tenu qu'il a bénéficié d'une immunité après sa déposition à la GRC. Les déclarations faites à son sujet sur le rôle qu'il aurait joué dans le scandale proviennent essentiellement du témoignage de Vincent Lacroix.

Il se joindra à une équipe de « collaborateurs ». Sa venue chez Norbourg marquera le début d'un temps nouveau au sein de la firme de
placement.

Les collaborateurs de la première heure à se regrouper autour de Vincent Lacroix, au tout début de l'aventure Norbourg, sont peu nombreux. Ils forment une bande hétéroclite, mais chacun d'eux jouera son rôle à la perfection. Ce ne sont pas, pour la plupart, de grands stratèges de la finance. Nous parlons de simples « exécutants », de courroies de transmission, d'acteurs de soutien. Ce sont surtout des « complices », à des degrés qui vont varier en fonction des mandats qui leur seront confiés.

Laissez-nous vous les présenter. Il s'agit de David Simoneau, Jean Cholette, Serge Beugré, Félicien Souka et Jean Renaud. La « bande des cinq » travaillera en étroite collaboration avec Éric Asselin, à partir de mars 2002.

David Simoneau a tout juste 20 ans et un Secondaire 5 dans son sac à dos, fin janvier 1998, quand son cousin Vincent Lacroix lui ouvre les portes de Norbourg. Il est assigné au *back office*. Sa tâche consiste essentiellement à faire la mise à jour des banques de données. Il ne prend pas de décisions et son salaire est établi en conséquence. Cette année-là, Simoneau gagne à peine 20 000 $.

Jean Cholette a 38 ans lorsqu'il fait son entrée chez Norbourg en mars 2001. On le nomme vice-président finances, en dépit d'un bagage académique déficient. Il a fréquenté le cégep pendant deux ans mais n'est pas parvenu à compléter sa formation en comptabilité. Cholette est un collaborateur « peu encombrant » qui jouera davantage le rôle de simple contrôleur. Il entrera les données : factures des fournisseurs, chèques de paies, « réconciliation » des comptes de banque. Il vérifiera les chèques qui sont émis, comptabilisera les frais bancaires et les dépôts. Auparavant, de 1998 à 2001, il avait travaillé chez Dynacom Technologie, une compagnie de logiciels comptables.

Serge Beugré n'a pas encore 40 ans au moment où il se voit offrir en décembre 2002 un poste de stratège chez Norbourg. C'est un ami de Vincent Lacroix qu'il a connu à la Caisse de dépôt et placement du Québec, où il a travaillé de 1990 à 1997. Il a été stratège en investissement à la Caisse. Avant cela, il a fait un séjour de trois ans au Fonds de solidarité FTQ. On l'a vu à la BNP Paribas (la Banque nationale de Paris) de janvier 2001 à février 2002 et il a été consultant pour la Bourse de Montréal de mars à décembre 2002. Il a un baccalauréat en administration des affaires et une maîtrise en finances.

Félicien Souka a 33 ans lorsqu'on lui offre au printemps 2003 « l'opportunité » de travailler à temps plein chez Norbourg à titre d'informaticien. Il avait en premier lieu accepté un mandat de consultant, pendant quelques mois, en août 2002. Il a étudié à l'UQAM en Sciences technologiques et société et il a complété un baccalauréat avec l'option Transfert des technologies, en 1996, cumulant deux certificats d'études supérieures – Graduate Certificate – de l'Université McGill : Commerce international et Finances et trésorerie. En 1999, il trouve un premier emploi au Secrétariat international du Forum francophone des affaires. Il y demeure jusqu'en avril 2002. Il débute ensuite un projet avec des amis, un projet de portail Internet auquel il se consacrera jusqu'à la fin de l'hiver 2003. Il a acquis ses connaissances en informatique en suivant des cours privés. Sa sœur est informaticienne. Il possède sa propre entreprise, Data Logique Polymorphe.

Jean Renaud est dans la mi-trentaine, en 2004, lorsqu'il se joint officiellement à l'équipe Norbourg à titre de « consultant ». Il a pris un congé sabbatique au ministère des Finances. Il connaît bien Vincent Lacroix pour avoir étudié avec lui à l'Université de Sherbrooke. Il a des maîtrises en finance, en fiscalité et en administration des affaires (MBA) et il est à la tête de la firme de consultant Expert-Conseil. Renaud se rapportera exclusivement à Lacroix et travaillera ainsi pour le compte personnel du président de Norbourg. Mais avant de devenir consultant chez Norbourg, le fonctionnaire s'impliquera très activement, dès 2001, dans un dossier – celui d'une subvention de près d'un million de dollars qui sera accordée à Norbourg par le ministère des Finances du Québec.

Simoneau, Cholette, Asselin, Beugré, Souka et Renaud arrivent tour à tour chez Norbourg. Ils forment l'équipe vedette de cette entreprise. Nous verrons ces collaborateurs à l'œuvre dans des situations

Effectivement, Vincent Lacroix s'apprête à nous surprendre, à étonner le milieu de la finance. Début 1998, Lacroix n'a pas encore monté son équipe de collaborateurs. Il réfléchit à un projet audacieux : lancer son entreprise dans l'industrie des fonds communs de placement. À ce moment-là, l'hiver sévit durement. Le Québec tout entier est frappé par une tempête de verglas. Des centaines de milliers de foyers sont plongés dans le noir. Les équipes d'urgence d'Hydro-Québec travaillent sans relâche pour rétablir le courant. C'est dans ce contexte cahotique que Vincent Lacroix, qui vient de fêter ses 31 ans – sans doute en s'éclairant avec des chandelles – lance Norbourg. Nous sommes le 27 janvier 1998.

Norbourg est une association de « nor » et de « bourg ». « Nor » parce que Montréal est la place financière la plus septentrionale des Amériques ; « bourg » pour rappeler l'époque où régnait une activité commerciale de marchands européens. La devise du Groupe financier Norbourg se résumera en trois mots : investissement, rendement, intégrité.

Lacroix se trouve en vacances près du mont Orford lorsqu'il finalise son projet. Il ne peut faire de ski en raison du verglas, mais cette tempête sera propice à la création de ce nouveau joueur dans le monde de la finance. Monsieur le président se met alors à la tâche et complète, un à un, les ajustements de ce qui deviendra un groupe de placement financier d'envergure. Le verglas avant le fracas, diront les plus cyniques. Il se donne le titre de président et chef de la direction de Norbourg. On dira de lui qu'il est un « patron contrôlant et sympathique ». Il injecte dans l'entreprise de 75 000 $ à 100 000 $ de fonds propres et y ajoute un emprunt de 50 000 $ contracté à la Banque Nationale. Son oncle, Robert Simoneau, à la tête de Ventilation R.S. Air inc., et père de David, investit pour sa part de 100 000 $ à 150 000 $.

Le 30 juin 1998, Norbourg Services financiers est détenue à 90 % par Vincent Lacroix; Ventilation R.S. Air inc. détient 9 % des actions tandis que Benoit Synnett en possède 1 %. Norbourg met du temps à prendre son envol. Les premiers mois, la firme dont les bureaux sont situés à Montréal, sur l'avenue Léo-Parizeau, Place du Parc, n'a aucun client. Elle vivote. Lacroix en profite pour monter une petite équipe, formée de son cousin David Simoneau et de Benoit Synnett, un jeune étudiant. La firme de placement obtient sa licence de conseiller en valeurs de plein exercice auprès de la CVMQ le 2 juillet 1998, un peu plus de cinq mois après sa création.

Au début, Norbourg fera de la gestion de portefeuilles. Lacroix recrutera ses clients chez Maxima Capital et chez des courtiers. En 1999, les actifs sous gestion atteindront 4 à 5 M$. Les fonds gérés sont acheminés chez le gardien de valeurs Northern Trust.

Les dépenses sont toutefois élevées et donnent le vertige. L'entreprise accumule des pertes. De grosses pertes financières. Selon les déclarations de Vincent Lacroix, Norbourg ne roule pas sur l'or. En 1999, la firme en démarrage encaisse une perte sèche de 329 331 $ et ses revenus ne sont que de 3 501 $. En juin 2000, la perte nette sera encore plus salée: 396 500 $. Le chiffre d'affaire grimpera à… 28 000 $.

Entre-temps, le capital-actions augmentera considérablement et atteindra 800 100 $ en 2000. Deux investisseurs sont venus en renfort: Robert Letellier, que Lacroix a connu chez Maxima Capital, et Gabor Matyas, un ingénieur recyclé dans l'investissement.

En dépit de ces injections de capitaux, Norbourg continue de piétiner. L'entreprise ne génère pas une très forte activité et compte moins de 10 employés. En mars 2000, elle réussit tout de même à décrocher un important contrat de gestion de 5 M$ avec une filiale du Mouvement Desjardins, Opvest[5]. Lacroix se sert de ses talents de vendeur pour convaincre Desjardins de lui accorder ce mandat, et cela lui réussit. Le mandat de gestion de fonds communs de placements – les fonds Éloria – sera la carte de visite de Vincent Lacroix. Il s'en servira pour

---

5. Opvest, une filiale de Desjardins, se spécialisait à l'époque dans les « fonds de fonds », et notamment de fonds de couverture. Norbourg était devenue, en mars 2000, la première firme canadienne à recevoir le mandat de gérer des fonds d'Opvest, les autres firmes se trouvant à New York, Londres ou ailleurs, à l'extérieur du pays. Norbourg avait reçu ce mandat à la suite de démarches en ce sens menées par Jacques Bourgeois et Mario Lavallée.

donner de la crédibilité à sa jeune entreprise de placement. Il s'agit de fonds de couverture – communément appelés *hedge funds* dans le jargon du métier. La gestion de ces fonds exige une solide connaissance des marchés, ce qui n'est pas le cas de Norbourg à cette époque.

Mais en dépit de ce mandat, la situation financière de Norbourg demeure fragile et le temps presse de cogner à la porte du ministère des Finances du Québec pour soumettre une demande d'aide financière. Lacroix sait que le gouvernement veut favoriser l'émergence de firmes de placement et qu'il propose, depuis 1998, des mesures incitatives à cette fin. Le programme de crédit d'impôt couvre jusqu'à 50 % des dépenses encourues dans la mise en place de fonds communs de placement.

Toutefois, pour se qualifier au programme, Norbourg devra jouer des coudes dans les corridors des Finances.

C'est au Salon d'épargne et placements, à Québec, en janvier 2001, que Vincent Lacroix croisera un ex-collègue d'université, le fonctionnaire Jean Renaud, qui lui ouvrira la voie jusqu'au ministère des Finances, à Québec. Le hasard fait bien les choses : Renaud informe alors Lacroix qu'il « travaille sur le programme du ministère des Finances lié au démarrage des fonds mutuels ».

Cette rencontre arrive à point nommé pour le président de Norbourg qui cherche à tout prix à obtenir le crédit d'impôt du gouvernement du Québec pour se renflouer. Lors de cette rencontre, Lacroix n'a pas encore obtenu le feu vert de la CVMQ pour lancer ses fonds communs (les fonds Unilys et Unicyme). Il attend impatiemment une réponse favorable[6].

C'est en juin qu'il « reprend contact » avec Renaud. Une relation amicale et professionnelle vient de naître.

« C'est [à partir de là] qu'on a rempli les formulaires [...] on avait des renseignements sur la façon de le remplir [sic], parce que c'était pas évident », racontera Vincent Lacroix[7].

Renaud accusera réception d'une télécopie explicite. La télécopie sera signée de la main de Vincent Lacroix.

---

6. Vincent Lacroix obtiendra l'autorisation de lancer ses fonds communs le 28 mars 2001.

7. Vincent Lacroix a été interrogé par le syndic aux sociétés Norbourg à compter du 25 octobre 2006 en présence des avocats de la firme RSM Richter, Me Denis St-Onge et Me Patrice Benoit, du bureau Gowling Lafleur Henderson. Le témoignage de Lacroix s'est étendu sur huit jours au terme desquels le syndic a consigné 1 200 pages couvrant les débuts de Norbourg, en janvier 1998, jusqu'aux perquisitions du 25 août 2005. Les propos de Vincent Lacroix cités dans les pages qui suivent sont principalement tirés de ce témoignage.

« Tu trouveras ci-joint les informations demandées. Bonne fin de semaine », écrira alors Lacroix à l'intention de son ami Renaud. Il s'agit d'informations qui vont faciliter la rédaction des documents en vue de l'obtention de la subvention.

L'analyste au ministère des Finances est dans une position « privilégiée » pour aider son ami. Il révise les demandes de crédit d'impôt dans le cadre de deux programmes de discrétion ministérielle, à savoir l'aide au commerce électronique et l'aide au lancement de fonds communs de placement. Renaud jouera un rôle important dans cette étape cruciale de la progression de Norbourg.

Nous sommes le 9 novembre 2001. Vincent Lacroix a de quoi jubiler. Il s'est qualifié au programme de crédit d'impôt du gouvernement du Québec pour la mise sur pied des fonds communs de placement Unilys et Unicyme.

Le chèque de 991 628 $ porte la signature du sous-ministre des Finances du Québec, Gilles Godbout. Le travail de Renaud a rapporté des dividendes. Le fonctionnaire a fait preuve d'une « comptabilité créative » pour faciliter l'obtention de cette subvention. Il aura rempli avec succès les formulaires et les aura transmis à ses supérieurs. En quelques mots, le dossier présenté par Jean Renaud sera impeccable. Le fonctionnaire et complice jouera, à sa façon, les agents nettoyants.

La subvention est ainsi accordée, même si Norbourg déclare avoir fait jusqu'à 17 fois plus de dépenses que de revenus, pour la période couvrant les années fiscales 1999, 2000 et 2001.

Comme il se doit, Lacroix récompensera son ami fonctionnaire à sa juste valeur. Il soutiendra avoir versé à Renaud des pots-de-vin totalisant 100 000 $. C'est dans une chambre d'hôtel du Concorde, à Québec, que le fonctionnaire aurait reçu son « paiement final ».

Cette précieuse subvention représente la bouée de sauvetage, le carburant dont a besoin Vincent Lacroix pour faire tourner une mécanique jusque-là plutôt calamiteuse. L'aide financière de Québec redonnera du tonus à Norbourg qui, autrement, se dirigeait tout droit vers la faillite.

Lacroix joue de chance dans ce dossier. Le programme gouvernemental se terminait le 31 mars 2001. Il avait eu le feu vert pour lancer ses fonds communs quelques jours seulement avant l'échéance, se qualifiant *in extremis*. Faut-il croire que les astres étaient bien alignés ?

Avec le million de dollars en main, l'aventure peut véritablement commencer. La personnalité du « Chief » de Magog se dessine à grands traits.

Sûr de lui, avec un ego à toute épreuve, Lacroix a le sens du timing: l'industrie du placement tourne au ralenti depuis les événements du 11 septembre 2001. Les attentats terroristes ont eu un effet dévastateur sur les marchés boursiers et les épargnants-investisseurs sont plus prudents. De leur côté, les courtiers indépendants doivent redoubler d'ardeur pour maintenir un niveau d'activité acceptable et pour « fidéliser » leur clientèle.

Vincent Lacroix s'est entouré d'amis dans les milieux de la finance et de la politique. Il croit deviner que le Québec économique et financier se cherche des symboles de réussite. Cheveux coupés courts, toujours en veston-cravate, le président de Norbourg cultive son image et se montre plutôt habile dans les relations publiques. Il sait qui inviter à sa table et à ses réunions d'affaires.

L'ancien analyste de la Caisse de dépôt et placement du Québec deviendra petit à petit un personnage médiatique. Il réussira, en peu de temps, à réaliser avec Norbourg ce que des institutions financières réputées ont mis des années à accomplir, avec des moyens financiers et des ressources humaines autrement plus considérables.

Il y a ce mandat de gestion avec Opvest (Desjardins) qui amène de l'eau et des dollars au moulin depuis l'hiver 2000. Ce mandat qui se situe à 5 M$, au début, augmentera progressivement à la grande satisfaction de Vincent Lacroix. Des montants supplémentaires s'ajouteront par tranches de 2,5 M$, à trois autres reprises, puis lors d'une dernière tranche de 7 M$. Une lucrative association prend forme entre Lacroix et la filiale de Desjardins.

En même temps, le président de Norbourg s'engage dans une campagne de séduction auprès de représentants en épargne collective pour les attirer dans son giron. Rien de plus normal: Norbourg est en mode croissance. Pour faire la promotion de ses fonds communs de placement, Vincent Lacroix installera un petit kiosque monté en pièces de bois de 2 par 4, au Salon Épargne Placement, Place Bonaventure, en 2001. Habile vendeur, il présentera des photocopies en couleurs illustrant les séquences de rendements des fonds.

L'ère Opvest enrichit donc Norbourg et son président Vincent Lacroix. Les millions confiés par la filiale de Desjardins entrent dans le tube digestif de Norbourg et en ressortent sous une forme que Desjardins n'aurait jamais imaginée. L'argent est détourné.

Le financier est déjà très actif en 2000. Il puise dans les fonds d'Opvest, effectue des retraits irréguliers qui totaliseront 1,1 M$, soit plus de 20 % des fonds qu'il a sous gestion avec la filiale de Desjardins. Il continue le même manège en 2001, toujours avec ces fonds de couverture, pour un montant qui atteint, cette fois, 3,7 M$. En 2002, Lacroix ponctionnera 7,4 M$ à même le compte que Norbourg est censé administrer et faire fructifier[8].

---

8. Ces données sont contenues dans le rapport de Leclerc juricomptables déposé en preuve le 28 février 2006.

Nous voici en décembre 2001. Vincent Lacroix et Éric Asselin ont pris l'habitude de manger au Grand Café, rue Union, près des bureaux de Norbourg. On les voit souvent attablés à l'heure du lunch. Leur présence ne passe pas inaperçue.

« On dînait ensemble et on regardait le plan de match pour Norbourg », rappellera Lacroix.

Les employés de Norbourg diront alors avec ironie que leur patron se trouve à son « deuxième bureau », le troisième étant Chez Parée.

Mais ces employés ne savent pas tout de leur raffiné patron : Vincent Lacroix fréquentait les grands hôtels du centre-ville, de même que le chic club privé Mount Stephen Club, et il lui arrivait fréquemment de prendre le petit déjeuner au Ritz, où il avait sa table.

Asselin était enquêteur à la CVMQ et disait trouver le temps long. Il aurait raconté au président de Norbourg qu'il voulait « absolument quitter » son emploi à la Commission pour, soit devenir consultant, soit devenir… vice-président finances chez Norbourg. Il vivait en appartement et souhaitait « augmenter son salaire », précisera Lacroix.

Le message d'Asselin sera reçu 10 sur 10 par Lacroix. L'enquêteur de la CVMQ tombera d'accord pour une entente chez Norbourg d'une durée de quatre ans. Et il lui parlera de sa capacité à l'aider dans l'éventualité où la CVMQ tenterait de l'importuner. C'est un secret de Polichinelle que la Commission souhaite diligenter une inspection chez Norbourg.

Conscient de ses inquiétudes, il lui dira : « Écoute, je peux t'aider, puis ça va être relativement facile à le faire [sic], mais je veux être rémunéré en conséquence. »

Le salaire annuel de base d'Éric Asselin sera fixé à 60 000 $ mais des primes viendront gonfler cette rémunération. Pour passer dans le camp de Norbourg, Asselin touchera, le 25 février 2002, un « boni de signature » de 120 000 $ qui a toutes les apparences d'un pot-de-vin. Lacroix lui remettra un chèque visé, tiré de son compte personnel, dans une voiture-taxi, au centre-ville de Montréal, entre la succursale de la Banque Nationale, 2100, rue University, et l'édifice Norbourg, pas très loin de là.

Asselin insistera cependant pour que le montant soit prélevé sur le compte personnel de Vincent Lacroix, et non sur le compte de Norbourg. Le patron accepte. Asselin veut éviter d'éveiller les soupçons. Il ne voudrait pas qu'on découvre, en fouillant dans les livres de Norbourg, qu'il a touché ce boni pour passer dans le camp de Vincent Lacroix. De son côté, Lacroix camouflera ce paiement au fisc en l'identifiant comme « un prêt accompagné d'une quittance pré-approuvée post-datée de deux ans ».

Après cette rencontre, l'enquêteur transfuge rentrera à pied à ses bureaux de la Commission. On l'imagine sifflotant dans l'ascenseur de l'immeuble de la CVMQ, Tour de la Bourse, en ce jour où l'argent vient de lui tomber du ciel, ou plutôt, de la poche des investisseurs de chez Norbourg.

Asselin sera l'homme providentiel pour tirer d'affaire son nouvel ami et patron pour cette inspection de la CVMQ. Mais sa décision de quitter la Commission des valeurs mobilières pour aller travailler chez Norbourg va-t-elle mettre la puce à l'oreille de ses anciens patrons?

Vincent Lacroix roule déjà à plein régime avec l'argent de ses clients lorsque Éric Asselin amorce sa nouvelle carrière chez Norbourg. Depuis deux ans, Lacroix a siphonné environ 12,3 M$ dans les fonds d'Opvest. Il a effectué d'autres ponctions totalisant 3,1 M$ dans les fonds provenant de la clientèle de représentants en épargne collective qui est passée chez Norbourg. Le trou creusé par ces retraits irréguliers est désormais de 15,4 M$. Asselin est pleinement en mesure de constater les dégâts.

Le patron de Norbourg puise dans des fonds qui ne lui appartiennent pas pour ses besoins personnels sans laisser aucune trace de ces mêmes retraits. Paradoxalement, les rendements sur les placements des investisseurs sont au rendez-vous. Les clients reçoivent des relevés démontrant que leur argent fait son chemin sur la route de Norbourg.

Ces rendements ne reflètent cependant pas la réalité ; c'est de la fiction. Pour s'assurer que le maquillage ne coule pas, Vincent Lacroix ne néglige aucun détail. Il trafique les données. Il se joue du système. Il échafaude un scénario tout faux. Le gardien de valeurs Northern Trust, censé garder les montants déposés par les investisseurs dans Norbourg, ne signale rien.

Lacroix agit avec une facilité déconcertante. Il utilise une variété de comptes pour ces transferts de fonds retirés chez Northern Trust. Ces transferts se font directement dans plusieurs sociétés du Groupe financier Norbourg, et non pas par un compte clairement identifié à cette fin.

Pour effacer les traces de ponctions, il aura recours, entre autres, à un compte fantôme, un compte tampon, ouvert en janvier 2002 à la Caisse populaire de La Prairie[9]. Ce compte n'apparaît pas dans les livres de Norbourg et se trouve à l'abri des regards indiscrets, loin de ceux, inquisiteurs, des autorités de régulation et de surveillance. Des millions de dollars y transiteront de façon hebdomadaire à l'avantage du président de Norbourg. Lacroix prétendra que ce compte particulier avait été ouvert à la suggestion d'Éric Asselin.

La procédure mise en avant pour détourner l'argent sera simple mais efficace : Lacroix fera d'abord une demande de retrait au gardien de valeurs Northern Trust, puis il s'assurera que le montant retiré transite par le compte de la Caisse populaire de La Prairie. Tricheur, Lacroix fera ensuite un retrait, qui deviendra tout simplement une « avance à Vincent Lacroix ».

C'est ainsi que sera effacée toute trace de ce retrait effectué précédemment chez le gardien de valeurs. Ni vu, ni connu ! Lacroix pourra compter sur la collaboration de son contrôleur Jean Cholette et celle de son responsable du *back office*, David Simoneau, pour parfaire cette manœuvre.

---

9. Le compte bancaire de Norbourg, à la Caisse populaire de La Prairie, portant le numéro 82749, a été ouvert le 16 janvier 2002 ; il sera fermé le 15 avril 2004. Au cours de cette période, des dépôts (et des sorties de fonds) totaliseront 33 M$ et des poussières.

Nous voici le 15 octobre 2002. Vincent Lacroix reçoit une communication de la CVMQ l'informant d'une inspection formelle chez Norbourg. Depuis la fin août, on croit savoir que la Commission procédera à une inspection dont « l'ampleur n'est pas routinière », reconnaîtra Vincent Lacroix. Il dit tenir cette information de son bras droit Éric Asselin, « bien renseigné à l'interne ».

Lacroix soutient que c'est son insistance à vouloir acheter Maxima Capital, sans faire la preuve de la provenance des fonds pour payer la note, qui a placé Norbourg dans la mire de la CVMQ et celle du directeur de la conformité à la Commission, Jean Lorrain. Des questions sont également soulevées sur l'origine des montants avancés pour financer les six fonds communs de placement, en mars 2001.

L'équipe d'inspection de la CVMQ débarque chez Norbourg le 28 octobre 2002. C'est le branle-bas de combat. Cette inspection est menée par une équipe dirigée par Vincent Mascolo, aidé de Marie-France Cloutier et Aubert Gagné. Elle se fera au 5e étage des nouveaux bureaux de Norbourg, 615, boulevard René-Lévesque ouest, où se trouvent la salle de négociations (la *trading room*) et la salle de conférence. La CVMQ veut vérifier les états financiers et l'ensemble des activités.

Éric Asselin est responsable des relations avec la CVMQ et c'est aussi le stratège financier de Norbourg. Au cours des mois précédents, selon Lacroix, il a « embelli » et « arrangé » les états financiers. Il a fait passer certains postes budgétaires de façon « totalement artificielle », de la rubrique « passifs » à la rubrique « actifs ». Asselin aurait également mis en place une stratégie qu'il croit efficace pour contrer l'offensive des inspecteurs.

Le conseiller spécial de Lacroix préparera le terrain et demandera la liste des documents à produire et les délais pour le faire. Une fois les questions posées, les inspecteurs se feront répondre que les documents relatifs aux transactions de Norbourg ne sont pas « finalisés », et qu'il est impossible de les montrer.

Premier mensonge : ces documents existent bel et bien. Mais ils ne sont pas présentables et renferment d'incriminantes irrégularités. La fabrication de faux documents ne sera cependant pas de tout repos. Vincent Lacroix et ses collaborateurs travailleront sur ce qu'ils appellent « le *shift* de nuit ».

« C'est qu'on produisait les documents [le soir] pour le lendemain car les inspecteurs demandaient les documents pour la journée suivante », racontera Lacroix.

Qui produisait les documents ?

« Parfois, [on était] entre trois et dix personnes », ajoutera-t-il.

Il y avait là une « équipe volante » composée principalement d'Éric Asselin, Serge Beugré, Félicien Souka et Vincent Lacroix. David Simoneau et Jean Cholette ont également été mis à contribution.

Les documents préparés en toute hâte étaient fictifs et tous les membres de l'équipe Norbourg qui participaient au montage nocturne en étaient pleinement conscients, dira Lacroix, dont le rôle consistait à « superviser les blitzs ». La présence de la CVMQ deviendra néanmoins encombrante, et cela ne fera pas l'affaire du président de Norbourg, peu habitué à se faire dicter une ligne de conduite. Il se montrera cinglant à certains moments.

Les inspecteurs souhaiteront voir les mouvements de fonds du compte personnel de Vincent Lacroix, mais n'y parviendront pas, en dépit de leurs demandes répétées et d'un ultimatum délivré à Éric Asselin le 12 décembre 2002. Il y aura d'autres questions qui chicoteront la CVMQ et qui auront trait à une implication de Vincent Lacroix dans la société Tercio Trust S.A.

C'est que le président de Norbourg avait produit une convention de gestion, élaborée entre lui-même et la société helvétique, justifiant des retraits de plusieurs millions de dollars des comptes gérés par sa firme de placement. Cette convention l'autorisait à puiser des avances « à peu près illimitées » sur les 30 M$ dont il dira alors disposer. Les inspecteurs n'en sont pas convaincus et ils auront plus tard de bonnes raisons de se questionner sur ce faux contrat de gestion discrétionnaire signé entre Germain Chassot, patron de Tercio Trust, et Vincent Lacroix.

« C'est un faux contrat », admettra le financier déchu.

À vrai dire, le contrat de gestion avait été préparé en vue de l'inspection de l'automne 2002 de la CVMQ. Le contrat devait justifier la provenance des fonds de Norbourg. C'était « du camouflage » qui cachait la vraie nature des activités de la firme de placement. Cette fausse convention de gestion portait une fausse date, celle du 14 mars 2000. Et la signature de Germain Chassot avait été imitée par un avocat employé de Norbourg, à la demande de Vincent Lacroix.

D'autres faux contrats seront fabriqués pour montrer aux inspecteurs que Norbourg s'occupe de la gestion de fortunes de particuliers. On utilisera le nom de clients qui ont des placements ailleurs que chez Norbourg. On relèvera ainsi les noms de Lionel et Tami Dubrofsky, Robertson et Ranhold inc. Tous les moyens sont bons pour dissimuler les entrées et les sorties de fonds suspectes.

Les inspecteurs auront également des doutes sur la crédibilité de l'ex-enquêteur de la CVMQ, Éric Asselin, qu'ils croient « au courant de bien des choses ». Ils ne sont pas dupes. Asselin fait des pirouettes comptables et informatiques pour brouiller les pistes. L'inspection donnera lieu, en sa présence, à des scènes tirées des plus grandes comédies. Un jour, on verra Asselin courant désespérément dans les corridors, à la recherche de l'informaticien Félicien Souka, surnommé « l'infirmier » par les employés de Norbourg parce qu'il longeait constamment les couloirs du siège social montréalais.

Asselin venait d'expliquer aux inspecteurs par quels moyens les documents du gardien de valeurs Northern Trust – documents qui portent sur la valeur des fonds des investisseurs – étaient acheminés chez Norbourg. Les inspecteurs lui avaient demandé de fournir des précisions, ce qui avait mis Asselin dans tous ses états.

Ni un, ni deux, il ordonnera à Souka de « fabriquer » un courriel et de l'insérer sur le poste de travail de David Simoneau, comme si ce courriel avait été envoyé précédemment par Northern Trust[10]. Il faut éviter que les inspecteurs prennent connaissance des « vrais » états de

---

10. David Simoneau n'a pas été accusé dans l'affaire Norbourg et il a bénéficié de l'immunité après avoir « accepté » de collaborer avec la GRC.

comptes de Northern Trust, lesquels renferment les données exactes, c'est-à-dire la vraie valeur des fonds des investisseurs, et non pas les données faussées par Norbourg. Les faux états de comptes et ce faux courriel fabriqués par l'informaticien Souka permettront de camoufler la vérité.

Ce jour-là, Asselin aurait eu la présence d'esprit de rejoindre l'inspecteur Marie-France Cloutier, aux ascenseurs, avant qu'elle ne quitte l'édifice de Norbourg, et de lui montrer le fameux faux courriel prouvant que Norbourg recevait les états de comptes de Northern Trust. L'inspecteur Cloutier aurait dit à Asselin, en consultant le faux courriel : « […] tout le monde va passer une meilleure fin de semaine. » Avait-il vraiment réussi à la rassurer ?

À l'hiver 2003, l'inspection de la CVMQ ne semble pas avoir débusqué du placard les nombreux squelettes qui se cachent chez Norbourg. Les efforts de Lacroix et de ses collaborateurs ont-ils vraiment « aveuglé » les inspecteurs ?

Depuis un certain temps déjà, Vincent Lacroix est attiré par les paradis fiscaux. Il rêve de plages de sable blanc et de fonds *offshore*. Pour lui, Nassau, capitale des Bahamas, représente la destination soleil toute indiquée pour jeter les bases d'activités de gestion et de placement dans les Caraïbes.

Lacroix fera appel à Mario Bright et à sa collaboratrice chez Triglobal[11], Anna Papathanasiou. Ce sont « des gens de la Caisse de dépôt », dira Lacroix, qui le mettront en contact avec le président de Triglobal.

« Monsieur Bright et Madame Papathanasiou nous ont proposé une structure aux Bahamas, basée à Nassau, qui nous permettait d'avoir notre fonds mutuel ainsi que d'être structurés d'un point de vue opérationnel », expliquera Lacroix.

Il est convenu que Triglobal fera les démarches afin que Vincent Lacroix et Norbourg puissent détenir un fonds commun « conforme » – le fonds Norvest – avec toutes les accréditations de la Commission des valeurs mobilières des Bahamas.

De plus, Lacroix demandera à un avocat montréalais spécialisé dans les structures *offshore* de rédiger le prospectus en vue de la création d'une fiducie. La fiducie familiale Agfa sera créée le 10 juillet 2002, en vue de l'acquisition de deux entités : Eurovest Holdings et Norvest Holdings, qui sont des coquilles vides, sans actifs.

Des fonds pourront ainsi transiter du Canada vers cette nouvelle fiducie familiale. Lacroix fondera beaucoup d'espoir dans cette fiducie. Il songera à l'avenir de son très jeune fils. Il dira à ce propos, lors d'une conversation avec son avocat corporatif, Me Alain Dussault : « Il est riche puis il ne le sait pas. » Il ne sera pas plus explicite par la suite.

---

11. Triglobal fera faillite le 8 avril 2004.

Lacroix demandera également la collaboration d'Éric Asselin dans ce dossier caribéen. On souhaite que le vice-président finances chez Norbourg mette l'épaule à la roue pour favoriser la mise en place d'une « structure de paradis fiscaux » avec la collaboration du *trader* québécois Martin Tremblay[12], chez Dominion Investment.

À la mi-janvier 2003, à la demande de son patron, Vincent Lacroix, Me Alain Dussault, l'avocat de Norbourg, enverra un courriel au *trader* Tremblay, lui disant : « Bonjour Martin, comme convenu lors de notre conversation téléphonique de ce jour, tu trouveras ci-joint le projet de notice d'offres pour le fond Norvest. »

Et il ajoutera : « Est-ce possible de mettre Norbourg Services financiers comme compagnie canadienne à titre d'*advisor*? »

À cette époque, Martin Tremblay est perçu comme une personne « qui fait beaucoup de business, là-bas », une « sommité dans le domaine », rappellera Me Dussault[13]. Lacroix tiendra même une conférence téléphonique avec le *trader*.

Des montants totalisant 534 282 $ seront déposés chez Dominion Investment, entre 2002 et la fin décembre 2004, à la demande d'un démarcheur embauché par Norbourg, Éric Streel[14].

De toute évidence, les fonds *offshore* représentent à ce moment-là un très fort attrait pour le financier québécois. Mais il n'y a pas que les Bahamas sur l'écran radar de Norbourg. Lacroix veut faire de Norbourg une firme de placement « internationale ». Et si cette expansion passait par l'Europe ?

---

12. Martin Tremblay est ce *trader* québécois qui s'est fait pincer par des agents doubles de la Drug Enforcement Agency (DEA). Il plaidera coupable à une accusation d'avoir blanchi une somme de 20 000 $ US, en novembre 2006, après avoir, initialement, été accusé du blanchiment de plus de 1 milliard $ US.

13. Me Alain Dussault a témoigné le 7 mars 2006 devant le syndic RSM Richter.

14. En interrogatoire, Vincent Lacroix expliquera que ces montants versés au démarcheur Éric Streel ont servi à payer ses honoraires dans d'autres dossiers d'acquisitions.

À en juger par ses très nombreux allers-retours entre le Québec et la Suisse, qui vont débuter en 2002, Vincent Lacroix croit au potentiel économique de ce pays. Le président de Norbourg prétend disposer des moyens financiers nécessaires au déploiement des tentacules de sa firme de placement à l'étranger. Un « petit magot » venant de la famille atteindrait, selon lui, 30 M$. C'est avec cette somme que le flamboyant financier montréalais prétendra faire de la « gestion » à l'européenne.

Toutefois, ceux qui le côtoient se demandent si son bas de laine n'est pas troué et si la théorie de la fortune personnelle tient la route dans les milieux bien renseignés de la CVMQ.

« Fais-toi z'en pas, ce n'est pas tout à moi cet argent-là », dira Lacroix à son avocat, Me Alain Dussault, à propos de cette prétendue fortune familiale.

Le président de Norbourg voit le potentiel que représente la Suisse et il se plaît à répéter que c'est là que se trouve le tiers de l'épargne mondiale[15].

Il se rendra fréquemment dans ce pays pour brasser des affaires et jeter plus tard les bases d'une filiale, Eurobourg S.A. En août 2002, lors d'un voyage éclair avec quelques-uns de ses collaborateurs, dont Serge Beugré, il découvrira que les règles du jeu pour s'implanter sur ce marché européen sont plus complexes qu'il n'y paraît. Son projet de filiale suisse sera temporairement mis en veilleuse.

---

15. En 2009, les actifs des banques suisses totalisaient 4 361 milliards de francs suisses, soit huit fois le produit intérieur brut de la Suisse ; près de la moitié de ces actifs provenaient de l'étranger.

Pour se plier aux exigences des autorités de réglementation helvétiques, le président de Norbourg se lancera à la recherche d'un notaire et d'un avocat ayant pignon sur rue à Fribourg.

Il embauchera un notaire qui a pour nom... Pierre Boivin. « Ça sonne québécois », réfléchira-t-il à haute voix. Grand amateur de hockey et du Canadien de Montréal, Lacroix mettra donc sous contrat ce notaire fribourgeois parce qu'il s'appelle Pierre Boivin. Un avocat, George Julmy, ami de Boivin, sera également recruté en vue de la création de la filiale suisse[16].

Le président de Norbourg a de bonnes antennes dans ce pays. Il est mis au courant que la Caisse de retraite et de prévoyance du personnel enseignant (CRPE) du Canton du Valais possède un lot important de bons de souscription – des « warrants », dans le langage boursier – acquis de la société d'exploration pétrolière Junex, à Québec. Depuis 2001, la CRPE a pris des parts importantes dans Junex sur la recommandation de la société de conseil financier Cybel Asset Management, basée à Lausanne.

Lacroix achètera, au nom de Norbourg, en décembre 2002, 800 000 « warrants » de la Caisse de retraite des enseignants, au prix unitaire de 30 cents, pour un montant total de 240 000 $. Une aubaine. C'est dans cet environnement boursier, après avoir acheté des bons de souscription dans Junex, que Lacroix se retrouvera, en février 2003, partenaire investisseur dans la société de conseil financier Cybel. Il prendra même une participation de 30 % dans cette société de conseil financier. Il estimera alors que Cybel est « crédible » puisqu'elle gère, entre autres, des fonds pour la banque privée Rothschild.

« On avait trouvé un gestionnaire avec un potentiel assez élevé en termes de rendement [...] ; je pense qu'on avait trouvé notre cheval de bataille pour démarrer un peu ce qu'on voulait faire en Suisse », soulignera Vincent Lacroix.

Le montant à verser pour cette participation dans Cybel, sous la forme d'un « prêt », variera entre 600 000 et 800 000 francs suisses.

Suisse, Bahamas... Mais qu'est-ce qui fait donc courir Vincent Lacroix ? Qu'est-ce qui le motive à vouloir brandir le logo de Norbourg à l'étranger ?

---

16. La filiale Eurobourg sera créée officiellement le 15 novembre 2004.

Or, si elles lui permettent de voyager « sur le bras » des investisseurs, les activités de Norbourg aux Bahamas et en Suisse ne sont pas génératrices de capitaux pour l'empire Norbourg, bien au contraire.

Ainsi, aux Bahamas, Norbourg aurait déboursé 2 M$ US pour une transaction qui n'a jamais été finalisée. Un chèque à ce montant transitera par la filiale Norbourg International en vue d'une hypothétique acquisition de la société R.J. Holdings.

Lacroix ne parviendra pas à générer des activités significatives aux Bahamas, où il souhaitait faire de la gestion de fortunes. En Suisse, l'aventure internationale ne sera guère plus reluisante, c'est le moins que l'on puisse dire. En mars 2004, le nom de Vincent Lacroix et celui de Norbourg seront cités dans un rapport d'enquête concernant un retentissant scandale financier estimé à 12 millions de francs suisses.

Le scandale éclaboussera la Commission de gestion de la Caisse de retraite et de prévoyance du personnel enseignant du canton du Valais (CRPE). Celle-ci sera mise sous tutelle pour s'être livrée, de 1997 à 2002, à des opérations boursières illicites, sur la recommandation de conseillers extérieurs. Cybel Asset Management, dans laquelle Norbourg était actionnaire, sera mise en faillite en septembre 2004 au terme de l'enquête policière menée par l'inspecteur des finances du Valais, Christian Melly.

Cybel aurait fait perdre à la Caisse de retraite du Valais la somme astronomique de 1,8 millions de francs suisses avec des transactions boursières désastreuses, entre autres sur le titre de Junex. Lacroix avait lui-même réalisé un profit de 152 000 $, en mai 2003, lors de la vente de ses 800 000 *warrants* dans Junex.

L'association entre Vincent Lacroix et Cybel prendra fin de façon plutôt abrupte, sur fond de scandale et de malversations dans le Canton du Valais. Cette affaire entachera l'image du président de Norbourg. La réputation de la firme de placement québécoise sera très sérieusement mise à mal, d'abord en Suisse, et plus tard au Québec.

Et la société Junex, qui n'avait rien à se reprocher, tentera d'oublier l'aventure suisse. « C'était la première fois que nous avions recours à du financement pour nos actions en Europe. La Caisse de retraite avait acheté des titres boursiers dans Junex pour environ 800 000 $ », nous confiera, à la mi-août 2009, le président et chef de la direction de Junex, Jean-Yves Lavoie.

Il insiste pour rappeler que Junex a été « une victime » dans ce scandale helvétique. « Ç'a été loin d'être un épisode agréable. Nous étions une jeune société boursière, à l'époque. On travaillait fort pour monter une entreprise solide », raconte le président de Junex.

Il ignorait aussi que le titre de Junex était l'objet de spéculations et que des individus s'enrichissaient en jouant sur le titre. Il précise qu'à l'époque, la direction de la société d'exploration n'avait « aucune idée de l'identité de cet actionnaire [Vincent Lacroix] qui avait vendu tous ses *warrants* en une seule transaction ».

« On se demandait qui ça pouvait bien être. On a fini par le savoir. Il faut croire qu'il [Lacroix] avait besoin de fonds et c'est sans doute ce qui expliquait cette vente », se souvient-il.

Jean-Yves Lavoie reconnaît que ces manipulations sur le titre de Junex ont fait chuter le cours de l'action. « Ç'a été un coup dur. Nous étions en Bourse depuis 2001 seulement », nous dira-t-il en entrevue.

Le scandale du Canton du Valais laissera des marques. C'était prévisible. Lacroix allait devoir un jour en assumer les conséquences. Les mauvaises notes s'accumulaient dans son bulletin. Il faudrait bien se rendre à l'évidence et prendre ses distances par rapport aux Bahamas et à la Suisse.

C'est au Québec, un terrain propice aux acquisitions, que le patron de Norbourg semble le plus à son aise. À compter du printemps 2003, Vincent Lacroix agira à la manière d'un rouleau compresseur. Énergique, il avalera des concurrents avec une certaine arrogance, grâce au *cash* des investisseurs, sans recourir à du financement. Ces achats compulsifs ne feront l'objet d'aucune discussion entre les administrateurs des sociétés Norbourg. Les collaborateurs complices se contenteront de signer les documents.

« On demandait la signature, personne ne posait de questions et on y allait », témoignera Vincent Lacroix.

Avec une facilité déconcertante, Norbourg réalisera une série d'acquisitions de sociétés reliées à l'industrie du placement. D'avril 2003 à juin 2005, Norbourg dépensera 25,8 M$ pour intégrer des sociétés québécoises. Un montant additionnel de 4,8 M$ sera consacré pour attirer chez Norbourg des petits représentants et leurs clients. Des bons de signature d'un montant de 1,6 M$ leur seront versés au cours de cette période. Les représentants vendront ainsi leurs *books* – leurs carnets – renfermant les noms de leurs clients.

« Ces bonis de transfert étaient une façon de les rémunérer [les représentants] pour les amener à l'intérieur de Norbourg », soulignera Lacroix.

Ces acquisitions permettent de maintenir un certain niveau de capital dans l'entreprise. C'est en puisant dans les fonds d'Opvest que Lacroix trouve les capitaux nécessaires pour compléter ces transactions. Des millions de dollars supplémentaires vont s'empiler dans son « entrepôt ». Lacroix trouve ainsi de nouveaux capitaux pour couvrir ses pertes d'exploitation causées par ses nombreuses ponctions dans les fonds des investisseurs.

« Oui, il y avait une question de vases communicants, là, qu'il fallait établir, effectivement », concédera-t-il en réponse à une question posée par le syndic Gilles Robillard, de la firme RSM Richter, sur les acquisitions visant à soutenir le train de vie du PDG de Norbourg.

Au total, 30,6 M$ – soit 25,8 M$ pour les firmes et 4,8 M$ pour les représentants individuels – seront engagés par Vincent Lacroix pour consolider l'emprise de Norbourg dans son secteur d'activités.

Ainsi, le 9 avril 2003, Lacroix achètera Groupe Futur, à Val-d'Or, qui avait de 140 à 180 M$ d'actifs sous gestion, pour la somme de 1,8 $. Il s'agira, pour Norbourg, de la première acquisition d'importance d'un cabinet de courtage en valeurs mobilières.

« Groupe Futur nous a été présentée par l'entremise de M. Jean Belval, qui était, à l'époque, un démarcheur, qui avait trouvé d'autres courtiers et qui me les amenait », racontera Vincent Lacroix.

Le 3 juillet 2003, il achètera Investissements BBA pour la somme de 6,2 M$. Il s'agit d'un réseau en épargne collective de la région de Québec comptant plus de 300 représentants avec plus de 600 M$ en actifs sous administration.

Ces deux acquisitions totalisant 8 M$ sont payées au comptant. C'est beaucoup d'argent pour une firme de la taille de Norbourg. Bien entendu, Lacroix n'a pas les moyens de payer de sa poche. Ce ne sont pas davantage les rendements « exceptionnels » produits par les marchés boursiers qui lui permettent de générer des liquidités pour dégager les millions nécessaires à ces acquisitions. Mais il joue au magicien. Il invente des chiffres et envoie à ses clients des relevés de placements qui montrent d'« excellents rendements ».

En octobre 2003, Lacroix préparera un autre grand coup. Il se sentira alors en position de force pour faire une acquisition qui pourrait transformer radicalement le profil de Norbourg. Il trouvera sur sa route un « vendeur motivé ».

À ce moment-là, la Caisse de dépôt et placement du Québec cherchait un acheteur pour Fonds Évolution et Capital Teraxis, le réseau de distribution des fonds communs de placement. Elle en avait confié le mandat au PDG de Capital Teraxis, Michel Fragasso.

La Caisse avait cependant fixé un échéancier serré. Il fallait « fermer le *deal* » avant la fin de 2003. Cette pression pour trouver un acheteur – et pour sortir du secteur du placement – s'expliquait-elle par le fait que ces « entités » de Services financiers CDPQ étaient jugées non rentables ?

« Il y avait des *cash calls* à tous les mois pour maintenir Évolution et Teraxis à flot. Ça perdait de l'argent, cette *business*-là », nous dira une source bien documentée.

La firme torontoise Dundee[17] avait été à deux doigts d'acheter Évolution et Teraxis. Elle avait déposé une offre d'achat formelle en avril 2003 et avait entrepris la vérification diligente des états financiers. Trois mois plus tard, Dundee s'était ravisée, mais sans fournir de raisons au vendeur. Avait-elle trouvé des vices cachés ?

Ce désistement causera de gros maux de tête à la Caisse, qui croyait avoir trouvé un acheteur sur mesure pour prendre le relais. D'autres firmes sérieuses telles que L'Industrielle-Alliance, la Société financière Desjardins-Laurentienne et Standard Life étudieront le potentiel d'acquisition de Teraxis et d'Évolution, mais sans déposer d'offre d'achat.

Il n'y aura donc pas d'autres propositions sur la table, ce qui laissera la porte toute grande ouverte à Vincent Lacroix et au Groupe financier Norbourg.

C'est ainsi qu'à la mi-octobre, en vue d'effectuer une transaction avec la Caisse, Lacroix tentera d'organiser une première rencontre avec Michel Fragasso pour lui manifester son « intérêt » et pour lui expliquer son « plan d'affaires ».

Dès le 31 octobre, Vincent Lacroix se déguisera en « acheteur motivé » et enverra à Michel Fragasso, par télécopieur, une offre d'achat dans un document de six pages. Le président de Norbourg avait décidé de dévoiler son jeu. Il était prêt à mettre le paquet pour rafler la mise.

« Je l'ai rencontré [Michel Fragasso] au début novembre à l'hôtel Queen Elizabeth, et c'est là qu'on est entré un peu plus dans le détail

---

17. Dundee Wealth Management avait acquis précédemment, en septembre 2002 et en novembre 2003, Stratégic Nova et Partenaires Cartier, qui appartenaient à la Caisse de dépôt et placement du Québec.

dans ce qui pouvait être fait ou ne pas être fait au niveau de la transaction Fonds Évolution », dira Lacroix.

Cette rencontre du 3 novembre 2003 aurait toutefois été organisée sous de faux prétextes par Vincent Lacroix. Le financier « acheteur » aurait demandé à l'un de ses courtiers de la région de Québec d'intervenir auprès de Michel Fragasso pour l'attirer dans ses « filets ».

Lacroix et Fragasso se verront à au moins deux autres reprises, le 27 novembre et à la mi-décembre, pour discuter de la transaction souhaitée par Lacroix.

Le président de Norbourg fera également le point sur cette question avec le représentant de la Caisse de dépôt au conseil d'administration de Fonds Évolution, lors d'une rencontre à l'hôtel Intercontinental de Montréal.

Le 19 décembre 2003, le nom de Norbourg sortira du chapeau. La Caisse vendra Fonds Évolution à Vincent Lacroix. Il arrivera avec un chèque visé de 4 M$ de la Banque Royale. Il finira premier dans une course où, visiblement, il a été le seul à atteindre la ligne d'arrivée.

Ce jour-là, dans un communiqué de presse, Capital Teraxis, Vincent Lacroix et Norbourg vont déclarer que la transaction est « bénéfique ». La convention d'achat pour la vente de Fonds Évolution sera signée conjointement par le président de Capital Teraxis, Michel Fragasso, et le président de Norbourg, Vincent Lacroix. Ce dernier met la main sur les 812 554 actions de Fonds Évolution.

La Caisse vendra également à Lacroix un immeuble, le 55, rue Saint-Jacques, un édifice encerclé par l'hôtel Place d'Armes, pour un montant de 6,5 M$. Il sera précisé que l'achat de cet immeuble fait partie d'un « deal » avec la Caisse. Selon les explications de Lacroix, la Caisse lui aurait « clairement demandé d'acheter » le 55, rue Saint-Jacques, en même temps qu'il s'appropriait Fonds Évolution.

« Il y avait une situation de donnant-donnant de chaque côté, si on voulait vraiment avoir les fonds Évolution comme transaction », soutiendra Lacroix.

Encore une fois, il paie *cash*, à l'exception d'une hypothèque de 2,5 M$ consentie par la Caisse (Hypothèque CDPQ), le 23 décembre 2003. Pour cette portion du financement, Lacroix a la chance de pouvoir compter sur la Caisse. Le président de Norbourg avait d'abord essuyé un refus de la Banque Royale du Canada. La banque considérait que Norbourg n'avait pas un profil financier viable.

Le 26 janvier 2004, Lacroix mettra aussi la main sur le réseau de distribution de Capital Teraxis regroupant Services financiers Teraxis, Services financiers Tandem et Info Financial Consulting Group. Montant payé : 6,3 M$, comptant encore une fois. Norbourg versera donc 16,8 M$ pour acheter Fonds Évolution, le réseau de distribution de Capital Teraxis, ainsi que l'immeuble du 55, rue Saint-Jacques, propriété de la Caisse de dépôt et placement du Québec.

Lacroix est propulsé vers les plus hauts sommets. Il règne maintenant sur son empire. À ce moment-là, les fonds Évolution sont gérés à l'externe par des firmes réputées, en l'occurrence Jarislowsky Fraser, Montrusco Bolton et Addenda Capital.

Le nouveau patron ne tarde pas à bouger. Au cours de l'hiver 2004, il rencontrera ses nouveaux employés. Il mettra cartes sur table. Désormais, c'est lui le patron. Il ne tolère pas la contestation au sein de ses troupes…

En avril 2004, Lacroix prend une décision qui ne manquera pas de soulever une certaine controverse. Il met un terme à l'entente avec les trois gestionnaires des fonds Évolution. Il rapatrie la gestion des fonds chez Norbourg, à l'interne.

Ce faisant, il opère un changement de cap majeur. Lacroix ramène la gestion des fonds dans sa propre maison, alors que tout semblait pourtant bien fonctionner avec la formule établie faisant appel à des firmes de l'extérieur.

Il ne se contente pas d'en rapatrier la gestion, il met aussi un terme à l'entente avec Trust Banque Nationale, le gardien de valeurs des fonds Évolution du temps de la Caisse. Il fera désormais affaire avec un gardien de valeurs avec qui il a déjà d'excellentes relations : Northern Trust est désigné par Lacroix pour garder ces fonds communs de placement. Un autre gardien de valeurs, Concentra Trust, en Saskatchewan, sera responsable du gardiennage de certains fonds Évolution.

Au début de juin 2004, il se produit un événement vraiment peu banal. Débutée en 2000, la relation Norbourg-Desjardins tourne soudainement au vinaigre. Le journal spécialisé *Finance et Investissement* vient de publier un dossier intitulé « Le mystère Norbourg » faisant état des « incongruités du modèle d'affaires » de la firme de placement et de « l'énigmatique Vincent Lacroix ».

« Suite à ça Opvest nous a demandé d'aller à ses bureaux et d'expliquer certaines provenances de fonds dans les firmes Norbourg. À la lumière de ce qu'on a vu, ils ont été insatisfaits des explications et ils ont rapatrié le mandat à la fin du mois de juin 2004 », dira Lacroix.

C'est à la suite de ce reportage choc que Desjardins décidera de mettre fin à son association avec Vincent Lacroix. Le « tigre de Norbourg » avait brisé le lien de confiance en dévoilant, entre autres, une information de nature confidentielle, c'est-à-dire qu'il détenait un mandat de gestion avec la filiale Opvest[18].

Ce n'était pas, pour Desjardins, une façon hypocrite de cacher l'octroi de ce mandat. Ce qui avait déplu et inquiété la direction de Desjardins, c'étaient plutôt les révélations du financier québécois à propos de la croissance en accéléré du Groupe financier Norbourg.

Lacroix prétendait que les fonds Évolution étaient devenus rentables depuis qu'ils étaient passés sous la coupe de Norbourg, même si l'actif de ces mêmes fonds s'érodait sérieusement depuis qu'il les avait acquis de la Caisse de dépôt et placement du Québec, au début de 2004[19].

---

18. Le mandat d'Opvest confié à Norbourg, qui atteindra 20 M$ au 30 juin 2003, était une goutte d'eau pour la filiale de Desjardins ; globalement, Opvest était responsable de la gestion de 17,5 milliards $ au 31 décembre 2002.

19. Les « ponctions » dans les fonds des investisseurs, en 2004, se chiffreront à 37,1 M$.

Le président de Norbourg se vantait de gagner « dans les sept chif-fres ». Il affirmait qu'il avait acheté des actions dans une minière (Dianor) parce qu'il avait besoin d'un « abri fiscal en conséquence ». Il ne se souciait guère des règles d'éthique.

Le dossier révélait que Norbourg avait connu une progression ful-gurante à compter de 2003, au moyen d'acquisitions, semant sur son passage des firmes de placement de la même taille.

« Norbourg emprunte la voie inverse et achète plutôt que de vendre », peut-on lire dans le dossier.

Mais cette « belle réussite » et cette « vitesse de croisière éton-nante », comme le rapporte le journal spécialisé, cache autre chose. On constate que Norbourg a eu bien du mal à commercialiser ses fonds communs de placement « maison » et que leur gestion n'a rap-porté que 25 517 $ en 2001 ; 190 000 $ en 2002 ; et 764 000 $ en 2003. Conclusion : les revenus générés par les fonds communs Norbourg ne font pas résonner la caisse enregistreuse, loin de là.

La gestion et la vente des fonds communs ne représentent que 15 % des revenus de Norbourg. Et Vincent Lacroix ne contredit pas cette estimation des revenus tirés des fonds communs. Le « tigre » ten-tera de justifier la fulgurante croissance de Norbourg en faisant valoir qu'il retire également des revenus de son service de gestion privée, « où bon nombre de nos clients ont des portefeuilles de plus de 10 M$ ». Il ajoutera que les fonds de couverture sont « un autre moyen de profits ».

« Par exemple, Desjardins nous a confié un mandat de gestion neutre d'une valeur de 20 M$ », avait lâché le président de Norbourg.

En en disant trop, Lacroix venait de commettre une erreur de dé-butant. Il perdra ce lucratif contrat de gestion de 20 M$. Pour mettre fin à l'entente, Desjardins exigera de Lacroix qu'il lui fasse un chèque « final ». Norbourg remboursera Opvest (Desjardins) le 22 juin sans contester. Mais il y a un problème de taille : Lacroix n'avait aucune idée, mais vraiment aucune espèce d'idée, du montant qu'il devait rembourser à Desjardins.

Pendant une semaine entière, il fera et refera des calculs. Il grif-fonnera des chiffres, des approximations. Il en arrivera au chiffre ma-gique de 22,4 M$, c'est-à-dire l'addition des 20 M$ confiés par Opvest et des 2,4 M$ de rendements fictifs.

L'association Desjardins-Norbourg aura duré quatre ans.

Desjardins prendra son chèque sans plus de cérémonies. Mais d'où provenaient les fonds permettant à Vincent Lacroix de rembourser Desjardins? Avait-il pris l'argent des investisseurs dans les fonds communs de placement « administrés » par Norbourg?

Souvenons-nous que Norbourg avait acquis les fonds Évolution à la fin de 2003, et que ces fonds communs, comme nous l'avons dit précédemment, avaient des actifs sous gestion de 132,4 M$ au moment où Vincent Lacroix s'est présenté avec son chèque de 4 M$ pour acheter Fonds Évolution. Certains ont suggéré que Lacroix aurait puisé dans ces fonds pour régler la note de Desjardins. Le principal intéressé admettra avoir comblé le déficit d'Opvest « à l'aide de trois fonds Évolution ».

« J'ai liquidé des positions dans les fonds et à la suite de ça, j'ai effectué un transfert. C'est moi qui parlais directement avec Northern Trust sur le transfert de 22,4 M$ », confessera-t-il.

Pour justifier un retrait aussi substantiel chez le gardien de valeurs, le président de Norbourg fera preuve d'imagination. Il fera des retraits « par tranches », durant deux semaines, jusqu'à ce qu'il recueille le montant souhaité pour rembourser Opvest. À ce moment-là, Norbourg avait connu une croissance à la fois surprenante et exceptionnelle. Un peu trop exceptionnelle pour les observateurs vigilants.

Dans l'industrie, l'ascension plutôt rapide de Norbourg en laissait plusieurs perplexes. On n'arrivait pas à comprendre comment Vincent Lacroix avait bien pu gonfler ses actifs en faisant des acquisitions. On se demandait d'où venait son argent. Certains racontaient que Lacroix se levait à trois heures du matin pour faire du *trading* et qu'il avait réalisé des gains considérables dans les contrats à terme. Norbourg payait le gros prix pour acheter ses concurrents. Jusqu'à deux fois la valeur du marché, dans certains cas.

La perte de ce mandat avec Opvest (Desjardins) ne viendra pas seule. Dans les mois qui vont suivre, le président de Norbourg assistera, impuissant, à l'exode d'une partie de son personnel, plutôt insatisfait du climat de travail qui règne dans la *shop*. En l'espace de huit mois, entre janvier et août 2004, c'est le tiers de sa force de vente qui quittera le navire. Les représentants ne croient plus au modèle Norbourg. Il y a beaucoup de mécontentement et plusieurs représentants s'interrogent sur le niveau d'honnêteté du PDG.

Vincent Lacroix joue encore à la star de la finance et il tente de minimiser l'impact de ces défections sur les activités de Norbourg. Le « tigre de Norbourg » sort ses griffes et fonce tête baissée. Il ne semble pas ébranlé outre mesure par les rumeurs qui courent à son endroit. Il est toujours aussi vif avec l'argent de ses clients-investisseurs.

C'est ainsi qu'il achètera, le 4 août 2004, Investissements SPA et Services financiers Dr dans un *deal* très profitable au courtier Claude Boisvenue. Une transaction de 4,3 M$ payée au comptant, encore une fois, et qui lui « donnera accès » à des actifs potentiels de 82 M$, consistant en l'argent d'investisseurs.

Et Vincent Lacroix ne se limite pas à faire des acquisitions. Il fera des dons à diverses œuvres de charité, sans doute pour se mériter des indulgences. En septembre 2004, par exemple, Norbourg versera tout près de 50 000 $ aux Œuvres du Cardinal Léger dans le cadre de la campagne de souscription « Nourrir un enfant ». À la fin, les dons de charité totaliseront 395 396 $.

À la mi-novembre, les élans de charité de Vincent Lacroix seront quelque peu atténués. Le président de Norbourg recevra par courrier des citations à comparaître de l'AMF. On lui demandera de collaborer à une enquête sur les activités de son entreprise.

Néanmoins, Vincent Lacroix se trempera par la suite dans l'esprit des Fêtes. Il se montrera généreux à l'endroit de sa conjointe, Sylvie Giguère. Le 23 décembre 2004, il lui fera cadeau d'un collier de diamants et saphirs d'une valeur de 31 286,80 $. Pour payer cet achat de luxe chez Henry Birks et Fils, il puisera un montant de 26 286,80 $ dans le compte Norbourg International.

En 2004, entre des dons de charité, l'achat de bijoux, les vacances jet-set et la dinde de Noël, Vincent Lacroix fréquentera les bars branchés du centre-ville avec une très grande assiduité. Il réservera aussi les meilleures tables des grands restos. Il fera la fête, mais jamais en solitaire. Ce sera, à sa manière, un véritable *party animal*.

Ça lui prend du monde pour célébrer. Après tout, il est à la tête d'une firme de placement qui commence à avoir ses lettres de noblesse.

Deux ou trois fois par semaine, il invite des représentants à des soirées au resto, bien arrosées, qui se terminent souvent dans des lieux où il vaut mieux payer en liquide. Le vice-président finance de Norbourg, Éric Asselin, réservera le même traitement VIP à certains de ses ex-confrères et ex-consœurs de la CVMQ (devenue l'AMF).

Selon Vincent Lacroix, Asselin serait « parti souvent avec des enveloppes d'argent » provenant des fonds de Norbourg pour faire la fête.

« Peut-être que M. Asselin l'a fait ou ne l'a pas fait, je ne le sais pas, mais souvent il nous a dit qu'il partait pour veiller avec certaines personnes. On savait que c'était des gens de l'Autorité [des marchés financiers] à l'époque et qu'est-ce qu'il faisait de l'argent? Je ne peux pas vous dire. Est-ce que c'était pour dépenser pour la soirée ou pour leur remettre? J'en ai aucune idée », dira Lacroix.

Les « soirées de fidélisation » organisées par Norbourg se termineront souvent dans un chic bar de danseuses du centre-ville. Les projecteurs sont tournés vers le bar Chez Parée. Lacroix aime « sortir et gâter les représentants ». Avant chaque sortie, prévoyant, il demande à son contrôleur, Jean Cholette, de faire un arrêt à la banque, près des bureaux de Norbourg, au centre-ville. Cholette lui rapporte parfois jusqu'à 10 000 $ en argent liquide.

Pour satisfaire les nombreux besoins de divertissement de son patron, Cholette lui remettra l'argent dans une enveloppe contenant beaucoup de billets verts, orange et bruns. Ces chèques, faits au nom de *cash*, couvrant des frais de représentation totalisant 111 500 $, seront ainsi encaissés par le contrôleur et serviront notamment à faire danser ces demoiselles de la rue Crescent. En faisant des chèques *cash*, Cholette évitera à Lacroix d'être importuné par la CVMQ et il facilitera la tâche à son patron plutôt festif.

« Des fois, soit que sa carte de crédit était au maximum et puis la plupart du temps, bien s'il allait chercher de l'argent comptant, bien s'il allait dans des clubs de danseuses, bien il payait comptant », expliquera son contrôleur.

Traduction libre : Vincent Lacroix avait parfois une carte de crédit *loadée* et il avait besoin d'argent liquide pour payer ses notes de frais salées. Mais il ne fait aucun doute qu'au cours de ces soirées, le président de Norbourg avait de l'argent plein les poches.

Ces séances de « motivation » sont très appréciées. Vincent Lacroix fait valoir les avantages des sorties, rue Stanley, où les danseuses sont triées sur le volet. La facture annuelle en « divertissements » pour les membres de la direction de Norbourg dépassera facilement les 150 000 $. C'est sans compter les copieux repas.

Lacroix est également bien pourvu en cartes de crédit. Cela lui permet de mener un train de vie « princier ». Il a trois cartes de plastique. Une de ces cartes, l'Aéro Or CIBC-Visa, a servi à payer 29 344 $ pour 14 visites chez Parée, entre le 22 juin 2004 et le 28 avril 2005, dont 9 800 $ pour le seul mois de juillet 2004.

L'équipe Norbourg aime aussi voyager. Et les dépenses sont en conséquence. La facture s'élève très exactement à 47 197,87 $ pour l'achat de billets d'avion chez Air Canada. Lacroix et ses collaborateurs aiment également la vie d'hôtel : 28 039,50 $ seront dépensés au Marriott Château Champlain, et 19 258,49 $ au Marriott Springhill Suites, rue Saint-Jean-Baptiste, dans le Vieux-Montréal, lors de séjours hôteliers de grande qualité. Ces dépenses couvrent les années 2004 et 2005.

Ça se passe de la même manière en Suisse, où Vincent Lacroix se rend fréquemment pour suivre les affaires de sa filiale Eurobourg à Fribourg. Pour joindre l'utile à l'agréable, il arrive que Norbourg invite des « clients » qui n'ont pas le profil de l'investisseur type. Des danseuses de Chez Parée vont participer à l'un de ces voyages d'affaires outre-Atlantique. Ces « clientes » peuvent ainsi découvrir « les délices » de l'Europe et les vertus de la Suisse, pays réputé pour ses chocolats au lait, ses fondues au fromage, ses montres et la grande discrétion de ses banquiers offerte aux investisseurs étrangers.

Une carte de crédit de la MBNA servira à acquitter 13 factures totalisant 47 631,46 $ pour des frais d'hébergement, au N.H. Fribourg, et des frais de « représentation » à la boîte de nuit Dancing Embassy, à Fribourg, d'août 2003 à mars 2005. Le Dancing Embassy, si vous aimez les comparaisons, est l'équivalent de Chez Parée. Cette somme servira à payer la traite à tout le monde, dira Lacroix.

Pour traverser l'Atlantique, l'équipe Norbourg dépensera 338 221,98 $ en billets d'avion achetés chez Swiss Air International.

Lors de ses missions européennes, Lacroix se fait accompagner par son chauffeur et homme à tout faire, dont le gabarit impose le respect. Ce même colosse a d'ailleurs plusieurs responsabilités. Au Québec, il conduit les deux enfants du patron à l'école.

Éric Asselin ne se gêne pas, lui non plus, et offre de « petits » cadeaux lors de ses voyages d'affaires. Par exemple, il fera un transfert électronique de 78 000 $ à la Banque Crédit Suisse à une amie proche, Rosita Ivanova, employée du bar dansant Embassy Club, en Suisse.

Constamment à la recherche de prestige et de reconnaissance, la direction de Norbourg prend les grands moyens pour se faire voir et surtout pour en mettre plein la vue à ses clients. Vincent Lacroix aura sa loge Norbourg au Centre Bell[20], l'amphithéâtre sportif de la rue Saint-Antoine, à quelques minutes de marche de ses bureaux du centre-ville, boulevard René-Lévesque.

C'est un grand amateur de hockey. Plus jeune, il savait manier la rondelle et n'avait pas son égal pour faire des passes sur la palette de ses coéquipiers. La loge située au niveau 300 n'est pas donnée : Norbourg déboursera annuellement 191 000 $ pour avoir le privilège d'applaudir le Bleu-Blanc-Rouge. Les invités du président mangent et boivent à la gloire des Glorieux. Norbourg sait recevoir ses amis et clients. Vins de grands millésimes et fromages fins se partagent la vedette. On parle business, opportunités d'expansion, le résultat du match de hockey importe peu. La loge permet aussi à Lacroix et à ses clients d'assister aux nombreux spectacles présentés par le Groupe Gillett. Ils voient défiler les plus grands chanteurs et artistes de la planète.

Au Centre Bell, Lacroix consolide ses liens avec des clients, des vendeurs de fonds communs, qui apprécient la compagnie du président, toujours très généreux. La loge est une vitrine exceptionnelle pour Vincent Lacroix et son équipe de collaborateurs. Un soir, dans un élan d'enthousiasme qu'il ne peut réprimer, Lacroix confiera même à un représentant que son plus grand rêve, c'est d'acheter le Canadien de Montréal.

« Je voudrais acheter l'équipe juste pour le " trip " d'en être le propriétaire, quitte à la revendre rapidement ! », dira-t-il tandis que la Zamboni complète ses derniers tours de patinoire.

---

20. Vincent Lacroix a dépensé 650 000 $ pour la loge de Norbourg au Centre Bell.

Lacroix aime aussi encourager les joueurs de hockey d'une ligue semi-professionnelle, à Thetford Mines, dans la région de l'amiante. Il devient ainsi actionnaire du Prolab au printemps 2004. Il investira dans la compagnie Sport Hockey BLL inc. – la société propriétaire de la formation – la somme de 547 197,75 $ entre le 21 juin 2004 et le 20 juin 2005.

Sport Hockey BLL est alors détenue à 60 % par Réal Breton, à 15 % par Alain Langlois, à 15 % par Lacroix et à 10 % par Jean-Pierre Lessard. Réal Breton est le président et l'actionnaire principal du réseau d'assurances AssurExperts ; Alain Langlois est l'un des plus importants représentants de chez Norbourg, avec plus de 40 M$ en actifs sous administration. Il avait 15 M$ sous gestion dans les fonds communs de placement Norbourg, ce qui en faisait un gros joueur dans l'équipe de Lacroix. De son côté, le financier et amateur de hockey Vincent Lacroix misera sur le Prolab pour créer un lien d'affaires, ou du moins, pour essayer de tisser des liens plus étroits avec Réal Breton, en plus de donner son support à Alain Langlois.

Vincent Lacroix n'assistera qu'à deux matchs du Prolab, une formation alignant de brillants hockeyeurs et quelques fiers-à-bras qui n'hésitent pas à jeter les gants pour se donner en spectacle. Il apprécie. Il invite même son garde du corps à un match dans l'une des loges qu'il a fait construire dans le vieil l'amphithéâtre bâti au milieu des années 1940.

Il lui arrivera aussi, alors qu'il était en vacances dans le Sud, de « diriger » l'équipe de hockey à distance. Il promet de verser des bonis allant de 100 à 200 $ par joueur si la formation semi-professionnelle remporte une victoire importante. C'est ce qu'on peut appeler, dans le jargon sportif, toucher le fond du filet… avec les fonds des investisseurs.

Lacroix et Norbourg dépensent 200 000 $ pour la construction de 18 loges de l'amphithéâtre de Thetford Mines. Un montant de près de 30 000 $ est consacré à une commandite et des bonis de séries éliminatoires versés aux patineurs du Prolab. Une autre somme de 116 750 $ sert à payer de la publicité sous forme de panneaux lumineux et la location de deux loges.

De toute évidence, Vincent Lacroix est beau joueur. Mais pourquoi a-t-il décidé d'acheter une loge corporative à Thetford Mines ? Pourquoi avoir investi autant d'argent ?

« Il y avait une demande, comment je pourrais bien m'exprimer, il y avait une demande qui était faite, qui était assez insistante », admettra-t-il.

Traduction libre : le président de Norbourg se sent alors obligé d'encourager le Prolab – financer serait un terme plus juste – parce qu'il craint que le courtier Alain Langlois, actionnaire de l'équipe, quitte la famille Norbourg et déplace ainsi les millions de ses clients dans une autre firme de placement.

Vincent Lacroix veut éviter d'avoir à rembourser les millions qu'il a lui-même « empruntés » aux clients du courtier Alain Langlois. Il injecte un peu plus d'un demi-million de dollars dans le Prolab de Thetford Mines, non pas en fouillant dans le fond de sa poche, mais plutôt en faisant des retraits irréguliers dans les fonds de ses clients.

En août 2005, quand le scandale Norbourg a éclaté, il y a eu un profond malaise au sein du Prolab de Thetford Mines. « Quand on a appris par les médias ce qu'était Norbourg, on a eu comme un choc », s'est souvenu à l'automne 2008 Jean-Pierre Lessard, aujourd'hui président et propriétaire à 100 % de l'équipe, rebaptisée l'Isothermic de Thetford Mines.

Lessard rappelle que Lacroix était « un commanditaire important ». « Il avait acheté tous les tableaux lumineux dans l'amphithéâtre. Les chandails de pratique des joueurs étaient identifiés au nom de Norbourg. Il avait sa loge », raconte-t-il. L'affaire Norbourg a éclaté au moment où Lacroix venait de renouveler ses ententes de commandites pour la saison 2005-2006, ce qui a compliqué la tâche de l'organisation. « On a dû se tourner de bord très rapidement », dit le président. La contribution de Norbourg avait alors fondu comme glace au soleil quand les enquêteurs de la GRC ont perquisitionné les locaux de la firme de placement, boulevard René-Lévesque, à Montréal. « Cela a fait perdre, momentanément, beaucoup de crédibilité à notre équipe. On a été un peu victime du fait qu'un des propriétaires [Alain Langlois] ait été un des représentants de Norbourg. Les gens se sont questionnés », souligne-t-il.

Le courtier Alain Langlois n'est plus actionnaire du Prolab. Il ne vend plus de produits financiers. Il est aujourd'hui représentant dans le secteur pharmaceutique.

« Il a été lourdement pénalisé lorsque l'affaire Norbourg a éclaté. Il a perdu ses clients qui ont décidé de placer leur argent dans les banques », souligne Réal Breton, qui considère Alain Langlois comme « un ami, un bon gars et un maniaque de hockey ».

Réal Breton a lui aussi quitté l'organisation en mai 2006. « Mais mon départ n'était pas lié à l'affaire Vincent Lacroix. J'ai vendu mes actions strictement pour des raisons de hockey », nous dira vers la mi-septembre 2009 le président de la firme AssurExperts.

Le président du réseau d'assurance est sorti aigri de cette affaire qu'il considère comme « une tache noire » dans son parcours de dirigeant d'entreprise. Il croyait que Vincent Lacroix était un actionnaire sérieux qui voulait améliorer le sort de cette franchise de hockey à Thetford Mines. Il aura été berné comme tous les membres de l'entourage de l'organisation du Prolab. « Moi, ma réputation est *clean* et tout ce qui concerne Vincent Lacroix, je ne veux plus en entendre parler », tient-il à préciser.

L'affaire Norbourg a laissé des traces : l'Isothermic – qui a remplacé le Prolab – tourne avec des budgets d'exploitation beaucoup moins élevés depuis le retrait forcé de Vincent Lacroix des actionnaires et commanditaires.

« On avait un budget de 1 million de dollars par année. C'est environ 600 000 $ maintenant », a calculé le président Jean-Pierre Lessard durant la saison 2008-2009.

La roue tourne vite chez Norbourg. Vincent Lacroix n'a pas l'intention de l'arrêter. Il y a ces investisseurs à recruter et cette croissance à gérer. Le président de Norbourg et ses « collaborateurs » se sont rendus en Suisse à de nombreuses reprises et on l'a vu attablé en compagnie de Serge Beugré et d'Éric Asselin à une terrasse de Fribourg, sirotant la bière locale, s'amusant comme un gamin dans les rues étroites de la ville.

En 2005, les mandats deviennent de plus en plus complexes. Le patron s'accorde le droit de prendre des vacances pour recharger ses batteries, particulièrement quand l'hiver sévit trop sévèrement sur les rives du fleuve Saint-Laurent. Il voyage au Mexique et en Italie. À plusieurs reprises, pour des déplacements au Québec, Lacroix utilise un Learjet privé de Bombardier.

À l'occasion du congé de Pâques, il emmènera ses représentants et ses employés-clés au soleil, avec leurs conjointes, dans un hôtel cinq étoiles. L'escapade à Cuba réunira une cinquantaine de personnes. Entre deux *drinks*, le président de Norbourg parlera, entre autres, de rigueur professionnelle…

Au cours de ce voyage, le patron de Norbourg confiera à des représentants en épargne collective qu'il est « en train d'acheter une grosse compagnie ». Cette grosse compagnie, c'était les Fonds BLC Rothchild.

De retour de Cuba, il replonge dans l'action. En juin, il prendra une participation dans Valeurs mobilières Investpro, qui a pour près de 400 M$ d'actifs sous gestion. À n'en point douter, Norbourg n'a pas fini d'étonner et son PDG prend les moyens qui s'imposent pour épater la galerie. Le 2 juin 2005, Norbourg fera une proposition d'achat à MCA Valeurs mobilières de 2,8 M$.

Mais Lacroix frappe un nœud. L'AMF, qui mène déjà une enquête sur les activités de Norbourg depuis l'automne 2004, s'opposera à la transaction sans fournir plus de précisions. L'étau commence à se resserrer.

Entre le 21 juin et le 9 août 2005, en moins de 50 jours, Lacroix trouvera toutefois le moyen, et les moyens, de dépenser une dizaine de millions de dollars pour compléter des acquisitions, régler des dossiers « urgents » avec le fisc québécois, mais aussi pour donner un coup de pouce à des membres de sa famille et à des collaborateurs, le tout au nez et à la barbe de l'AMF.

Le 14 juillet, un chèque de 125 000 $ est fait au nom de sa sœur Stéphanie Lacroix ; le 15 juillet, il achète Le Grand Café, un resto chic de la rue Union, près du boulevard René-Lévesque Ouest, à quelques pas de ses bureaux. Il déboursera 750 000 $. On aurait aimé voir les couverts. Lacroix juge qu'il vaut mieux payer trois quarts de millions pour l'établissement plutôt que de continuer à y dépenser de fortes sommes à titre de « client VIP ». Il aura effectivement dépensé beaucoup d'argent dans ce resto chic avant de s'en porter acquéreur : très exactement 233 172,62 $, avec ses trois cartes de crédit, à compter du 22 mai 2003. Pas moins de 2 000 factures y seront comptabilisées. Un soir de la fin décembre 2003, une addition de 5 716,39 $ sera acquittée avec une carte de plastique.

Au Grand Café, les soirées sont bien arrosées grâce à la panoplie considérable de très grands crus gardés au frais dans un appartement adjacent. Le financier sait apprécier les bons vins. Éric Asselin ne donne pas sa place, par ailleurs. Parmi les invités de marque qu'il convie à sa table, au Grand Café, il y a, dit-on, des inspecteurs de l'AMF. Faut-il en conclure qu'Asselin les invite pour les « cuisiner », entre deux bouchées de filet mignon et un gruaud-larose à 200 $?

On peut toutefois se demander si ces grandes bouffes ont fini par cailler sur l'estomac d'Éric Asselin, à moins que ce ne soit l'enquête sur les activités louches chez Norbourg qui avait été relancée par l'AMF à l'automne 2004. Le 22 février 2005, le bras droit de Vincent Lacroix avait abandonné « officiellement » son poste de vice-président finances pour s'occuper de sa firme de consultation à Beauport.

« Il semblait essoufflé », dira Lacroix.

Il avait été convenu qu'Asselin allait faire de la consultation au sein de sa firme Conformia, à Beauport. Mais il était clair, également, qu'il ne claquait pas la porte de Norbourg. Il allait même mener plusieurs dossiers de front pour Vincent Lacroix. Il sera un pivot important dans l'enquête de l'AMF. Comme lors de l'inspection de la CVMQ en octobre 2002, il sera en contact avec les enquêteurs et interviendra dans la fabrication de documents pour camoufler les sorties de fonds.

En même temps, Éric Asselin aidera Vincent Lacroix à préparer une divulgation volontaire qui vise à justifier les revenus et les activités du président de Norbourg aux yeux du fisc, tant à Québec qu'à Ottawa. La décision de faire une telle divulgation avait été prise à l'été 2004.

Le « tigre de Norbourg » venait de perdre son mandat avec la filiale Opvest chez Desjardins. Et dans l'industrie on s'interrogeait de plus en plus sérieusement sur la provenance des revenus produits par les activités de Norbourg.

L'enquête de l'AMF et l'après-Opvest constitueront deux raisons majeures pour inciter Vincent Lacroix à se mettre à table, avec une firme de vérificateurs comptables, afin de préparer sa fameuse divulgation volontaire.

Éric Asselin, qui n'a jamais travaillé bénévolement, s'assurera de monnayer ses services. Il négociera donc une lucrative entente pour remplir ces mandats de consultation. Sa « collaboration » aura un prix : en juin 2005, il touchera un chèque de 330 000 $ de Vincent Lacroix, ce qui lui permettra d'acheter sa maison de la rue Harfang, à Beauport. Ce paiement fera partie des « compensations monétaires » réclamées par l'ex-bras droit de Vincent Lacroix pour sa « participation aux malversations ayant eu cours au sein du Groupe Norbourg ». Ce versement devait, à l'époque, selon Lacroix, constituer une partie du « prix du silence » d'Éric Asselin.

Or, selon ses calculs, ce n'était pas assez. Asselin avait jugé qu'il méritait beaucoup plus. Il en fera part à Lacroix. Pour être entièrement satisfait, l'ex-enquêteur à la CVMQ aurait souhaité qu'on lui verse une autre tranche de… 900 000 $, sur un compte *offshore*, dans « une fiducie aux Bahamas », soutiendra Lacroix. Ses désirs ne seront pas comblés et c'est un Éric Asselin frustré qui dira sa façon de penser à son ancien patron.

Le président de Norbourg aura moins de mal à régler les « dossiers » de son contrôleur, Jean Cholette, qui se « contentera » d'un chèque de 155 000 $ pour acheter sa maison. David Simoneau, son jeune cousin, recevra pour sa part 103 000 $ au cours de ce mémorable été 2005.

Le 20 juillet, Lacroix aura une petite pensée pour le fisc. Il enverra 6 M$ au ministère du Revenu du Québec dans le cadre de sa déclaration volontaire visant à montrer sa « bonne foi », mais surtout pour effacer les soupçons sur la provenance véritable des fonds chez Norbourg.

Ce versement de 6 M$ constituera un paiement partiel pour des impôts beaucoup plus considérables qui lui sont réclamés pour régulariser sa situation fiscale. S'il veut avoir la paix avec les percepteurs, c'est un montant total de 22,5 M$ qu'il devra « cracher » au fisc.

Lacroix s'était fait dire par ses « conseillers » que le montant à débourser pour calmer les percepteurs d'impôts oscillerait entre 12 et 15 M$. La pilule était difficile à avaler mais le président de Norbourg avait des ressources financières insoupçonnées.

Cette histoire de divulgation volontaire sera accaparante pour Lacroix. Il sera aidé par Asselin et le fonctionnaire Jean Renaud. Il ira jusqu'à prétendre, dans son document de présentation au fisc, qu'il possède des investissements de 4 M$ dans une banque suisse. Il soumettra de faux états de comptes démontrant (faussement) qu'une société du nom de R.J. Holdings Ltd lui a consenti un prêt d'un montant équivalent.

Il demandera l'aide d'un avocat montréalais, qu'il connaît bien pour avoir eu recours à ses services dans l'établissement de structures *offshore* aux Bahamas, pour obtenir ce précieux document justifiant un mandat de gestion en Suisse.

Lacroix se trouvait pris dans une « spirale », selon ses propres termes, en cet été 2005. Et pour en sortir, il avait dû faire appel à un « partenaire » en Suisse, George Julmy.

Pour justifier qu'il avait l'argent pour payer ses impôts, Lacroix demandera à Julmy de rédiger un faux document dans lequel ce dernier confirmait consentir un prêt de 22,5 M$ à Vincent Lacroix. Ce document allait permettre au président de Norbourg de camoufler une sortie de fonds qu'il s'apprêtait à faire chez Northern Trust pour un montant identique. Encore du maquillage.

Dans les faits, Lacroix puisera dans les fonds des investisseurs parce qu'« il n'y avait pas d'autres sources ».

« On a parlé à des banques, on a essayé d'emprunter sur les actions de Dianor. On a tout fait. Il n'y a pas une institution qui voulait nous prêter », racontera-t-il après coup.

Mais, pour Vincent Lacroix, la vie suivait son cours. Ses ennuis avec le fisc n'allaient pas l'empêcher d'ouvrir une nouvelle fois son chéquier, le 29 juillet, pour permettre à son frère Patrick de devenir aubergiste. Il achètera pour la somme de 2,6 M$ la très fréquentée Auberge de l'Étoile sur le lac, à Magog. Un montant élevé, supérieur à la valeur marchande de cette auberge qui jouxte la promenade donnant sur le lac Memphrémagog, dans les Cantons de l'Est[21]. Cette transaction immobilière marquera la fin des grandes acquisitions du Groupe financier Norbourg…

---

21. En 2006, L'Auberge de l'Étoile sur le lac sera rachetée par Fernand Magnan au montant de 1,4 M$. Il faut préciser que l'homme d'affaires avait lui-même vendu l'Auberge à Vincent Lacroix le 29 juillet au montant de 2,6 M$.

Mais il semblait y avoir du sable dans l'engrenage depuis le départ d'Éric Asselin. Le 25 février 2005, le bras droit de Vincent Lacroix avait quitté « officiellement » Norbourg. Il souhaitait s'occuper plus activement de sa firme de consultation Conformia, à Beauport.

Dans les faits, Asselin était toujours aussi présent chez Norbourg. Il faut comprendre que ça brassait passablement, à l'interne, en ce début de printemps où le vice-président prenait ses distances. Les enquêteurs de l'AMF cherchaient à en savoir davantage sur les activités louches de Norbourg.

Vincent Lacroix et Éric Asselin tentaient d'esquiver les questions des enquêteurs de l'Autorité. De son côté, Asselin semblait de plus en plus inquiet, préoccupé même.

« La tension était palpable dans les bureaux de Norbourg », nous dira le comptable Jean Hébert, dans une rare entrevue qu'il nous accordera à la mi-août 2009.

Jean Hébert était entré chez Norbourg en octobre 2004 après avoir accepté une proposition d'Éric Asselin, qu'il avait connu à la CVMQ. Il jouait dans la même équipe qu'Asselin dans une ligue de balle molle.

« Il m'avait parlé d'un emploi intéressant chez Norbourg. J'avais accepté parce qu'à l'époque, on disait de Vincent Lacroix qu'il avait le vent en poupe », se souvient Jean Hébert.

Le comptable se verra confier plusieurs mandats, dont celui du renouvellement des prospectus des fonds Évolution. Il occupera le poste de vice-président conformité et projets spéciaux chez Norbourg. Il est précédé d'une solide réputation. Il a fait carrière à la CVMQ, puis à l'AMF avant d'entrer chez Norbourg. Il a également travaillé chez

Samson Bélair Deloitte & Touche, puis chez Investissements TAL Gestion globale d'actifs.

Il est loin de s'imaginer qu'il vient d'accepter un emploi qui lui causera de gros maux de tête et que son choix de carrière chez Norbourg se transformera en horrible cauchemar.

Un mois après son arrivée, c'est un premier choc. Jean Hébert apprend que l'AMF enquête sur Vincent Lacroix et Norbourg.

Le 12 novembre 2004, l'AMF avait envoyé un *subpœna* chez Norbourg pour « analyser et enquêter sur les sources de fonds du Groupe Norbourg et des sociétés de Vincent Lacroix[22]. »

Lacroix et Asselin lui proposeront de remettre sa démission, s'il est trop inquiet, et de quitter moyennant une prime de départ équivalent à une année de salaire!

« Ils m'ont dit que je pouvais m'en aller si je le désirais… », racontera le comptable agréé.

Jean Hébert se voit alors offrir un « package » de 80 000 $ par le tandem Lacroix-Asselin. « J'aurais pu prendre le montant et accepter, mais après avoir reçu cette offre, je me suis dit que Lacroix jouait sans doute franc-jeu avec moi. Il était peut-être de bonne foi, après tout », nous confiera le comptable.

Était-ce une proposition sérieuse ou était-ce plutôt du bluff? Toujours est-il que le comptable Hébert restera en poste après cette conversation. Des semaines s'écouleront sans qu'aucun autre événement ne vienne perturber le sommeil du remplaçant d'Éric Asselin. Mais le comptable Hébert aura du mal à comprendre ce qui se passe véritablement entre les quatre murs de Norbourg.

« Le fonctionnement à l'interne n'avait pas d'allure. C'était le fouillis total. Il n'y avait pas de contrôles et personne ne vérifiait les comptes de dépenses », dira Jean Hébert.

---

22. Des boîtes de documents renfermant des informations sur les états de comptes du compte de Vincent Lacroix seront acheminées à l'AMF pour satisfaire aux besoins de l'enquête. Ces états de comptes auraient été fabriqués de toutes pièces par l'informaticien Félicien Souka.

Début juillet 2005, Lacroix lui donnera une « promotion ». Il deviendra vice-président finances chez Norbourg, poste qu'occupait auparavant Éric Asselin.

Mais cette « promotion » sera un cadeau empoisonné. Jean Hébert, en position d'autorité, aura accès à des informations qui lui glaceront le sang. « Ça ne marchait pas. Ce qui se passait dans les comptes de Norbourg, c'était pas normal », nous dira le comptable Hébert en entrevue[23].

Comment Vincent Lacroix pouvait-il dépenser autant d'argent chez Norbourg sans puiser dans les fonds de ses clients ? Le comptable ne comprenait pas. Il allait trouver la réponse à cette question.

En cette fin de matinée du 3 août 2005, il abordera ce sujet délicat avec Éric Asselin, avec qui il continue d'entretenir des rapports « professionnels » et « amicaux ».

« On venait de sortir de l'édifice de Norbourg au centre-ville et on s'en allait acheter un stylo Mont-Blanc à la secrétaire d'Éric Asselin, pour souligner son départ, lorsque je lui ai dit que je m'expliquais mal comment l'argent pouvait entrer chez Norbourg. Il m'avait alors répondu de façon évasive. Il m'avait dit que l'argent pouvait provenir d'une filiale. Mais moi, sa réponse ne m'avait pas satisfait et je lui avais dit que je voulais en avoir le cœur net », dira-t-il.

Dès son retour au bureau, il demandera à un employé-clé de lui donner accès au compte d'une filiale de Norbourg.

« C'est là que j'ai tout découvert », explique-t-il. Le nouveau vice-président finances mettra la main sur des documents confidentiels démontrant qu'il se fait chez Norbourg des « appropriations illégales d'argent ». Il sera alors pris d'un vertige. Stupéfait, il en arrivera à la conclusion, preuves à l'appui, que Lacroix puise abondamment dans des fonds appartenant aux investisseurs. Il découvrira, entre autres, le transfert de 6 M$ au nom de Vincent Lacroix provenant des fonds des investisseurs. Cette somme considérable avait servi à payer une partie des impôts du président de Norbourg dans le cadre de sa divulgation volontaire. Il verra d'autres sorties de fonds frauduleuses à partir des relevés de la filiale de Norbourg.

---

23. Le comptable Jean Hébert avait été embauché par Éric Asselin. Il avait été présenté à Vincent Lacroix au restaurant Le Grand Café.

Après avoir constaté l'ampleur des dégâts, il s'empressera de refermer le dossier pour éviter d'éveiller des soupçons dans l'entourage immédiat de Vincent Lacroix.

Cependant, tout le temps que le comptable Jean Hébert fouille dans les entrailles du dispositif, Éric Asselin se trouve à ses côtés, dans son bureau, chez Norbourg.

« Il était en face de moi. Il m'a vu faire les recherches dans le compte de banque électronique de Vincent Lacroix », raconte le comptable.

C'est à partir de ce moment qu'il comprend le mystère Norbourg. « Je lui ai dit, à Éric Asselin, qu'il fallait tout de suite descendre à l'AMF pour aller tout leur raconter. Je lui ai dit qu'on avait l'obligation morale d'arrêter tout ça », précise Jean Hébert.

Sur les conseils d'Asselin, il n'ira pas à l'AMF. Le comptable venait de découvrir l'escroquerie mais il allait découvrir une autre facette de la personnalité d'Éric Asselin.

« Asselin a alors téléphoné à la GRC[24]. Il a parlé aux enquêteurs Marinelli et Brisebois[25]. Ma vie venait de basculer. C'est comme si un rouleau compresseur venait de me passer sur le corps », résumera-t-il.

Les événements se bousculeront. En début de soirée, Jean Hébert préviendra sa femme qu'il vient de se produire « quelque chose de très grave » et que les enquêteurs de la police économique de la GRC vont venir l'interroger plus tard en soirée.

À 21 h, il verra arriver chez lui, à Laval, des enquêteurs de la GRC prêts à recevoir sa déposition. Au cours de l'après-midi, il avait appris de la bouche même d'Éric Asselin que ce dernier était devenu délateur, peu après la mi-juin, pour sauver sa peau. Il jouait double jeu depuis plus de six semaines.

---

24. L'AMF n'a été informée que le 9 août 2005 qu'Éric Asselin était devenu délateur à la GRC depuis le 21 juin. Ce délai entre le moment où Asselin a parlé à la GRC et celui où l'AMF a été informée a coûté cher aux petits investisseurs floués. On estime que Lacroix a dépensé plus de 12 M$ au cours de cette courte période.

25. Les enquêteurs Marinelli et Brisson ont reçu la déposition d'Éric Asselin à compter du 21 juin 2005.

« Je me suis senti trahi. J'ai su qu'il avait manœuvré dans mon dos. J'ai réalisé qu'il m'avait fait venir chez Norbourg tout en étant pleinement conscient que Norbourg était un nid de fraudeurs », relate le comptable.

À partir de ce moment précis, Jean Hébert aura l'impression de marcher dans un épais brouillard. Il racontera ce qu'il sait aux enquêteurs de la GRC. Il leur demandera s'il est préférable de démissionner sur-le-champ de son poste de vice-président finances chez Norbourg.

« On m'avait dit qu'il valait mieux que je reste en poste pour les fins de l'enquête », expliquera-t-il. Les enquêteurs lui offriront une immunité pour sa déposition, ce qu'il refusera.

« Moi, j'allais là pour défendre mes principes. J'avais toujours été intègre et ce que je voyais chez Norbourg, ça me révoltait », ajoute-t-il.

Le lendemain matin de sa déposition aux enquêteurs de la GRC, il se présentera au travail les traits tirés, angoissé, extrêmement tendu. Vincent Lacroix, en le voyant entrer au bureau, dira à un collègue : « Il est donc bien bizarre, Jean. »

« Je me suis ressaisi et j'ai fait comme s'il ne s'était rien passé. C'était un contexte un peu irréel. Vincent Lacroix me tournait autour, plus qu'à l'accoutumée. J'ai connu plusieurs nuits blanches à partir du 3 août », dira-t-il.

Jean Hébert aura toutefois la « chance » de s'absenter de son travail, à la mi-août, pour subir une légère intervention chirurgicale. Et c'est alors qu'il est en congé de maladie que la GRC et l'AMF vont débarquer dans les locaux de Norbourg.

« J'ai reçu des appels de collègues à la maison. On m'a alors raconté que le fonctionnaire Jean Renaud s'était évanoui en voyant arriver les enquêteurs[26]. Il venait de se produire un événement dramatique », se rappelle le comptable avec émotion.

---

26. Jean Renaud sera accusé en septembre 2008 dans une autre affaire de fraude impliquant son entreprise, Expert Conseil. Avec son frère, Steve Renaud, il aurait fait des demandes frauduleuses de crédit d'impôt pour 20 compagnies bidon, de 2001 à 2004. Renaud et son frère prétendaient exploiter des sites internet de planification financière et avaient tenté d'obtenir des crédits d'impôt totalisant 719 000 $. Revenu Québec a déposé 37 chefs d'accusation contre Jean Renaud et un nombre identique contre son frère.

Vincent Lacroix jouera sa dernière carte dans les jours suivant les perquisitions du 25 août 2005 dans les locaux de Norbourg. Il rencontrera des employés et leur dira « de ne pas s'en faire ». Il ajoutera que les perquisitions sont « un coup monté ».

Le PDG de Norbourg se présentera comme une victime et le nom d'Éric Asselin sera évoqué. Et si c'était Asselin qui avait tout manigancé ? Mais le bruit court que le comptable Jean Hébert a « tout vu » et qu'il est allé à la GRC.

« Si Hébert a parlé, c'est qu'il y avait un fondement. Hébert n'est pas du genre à parler pour ne rien dire », chuchotera un des employés à ses collègues. La crédibilité de Vincent Lacroix est ébranlée. Les employés de Norbourg commencent à y voir plus clair.

On parlera désormais de l'affaire Norbourg. L'éclatement du scandale surviendra avant le passage de l'ouragan Katrina qui frappera les côtes de la Louisiane, le 29 août, inondant 80 % de la ville de La Nouvelle-Orléans, faisant plus de 1 200 morts.

Les petits investisseurs floués chez Norbourg auront, eux, l'impression d'avoir été frappés de plein fouet par un ouragan appelé Vincent Lacroix.

Éric Asselin a définitivement retourné sa veste lorsque Jean Hébert lui a fait part de ses « préoccupations ». L'ex-bras droit de Vincent Lacroix est devenu délateur.

Pendant plusieurs semaines, à partir du 21 juin 2005 et jusqu'aux perquisitions du 25 août 2005, Asselin racontera aux enquêteurs de l'Équipe intégrée (GRC) ce qui se cache derrière le mystère Norbourg. Il donnera toutes les informations nécessaires aux enquêteurs afin qu'ils puissent trouver les documents incriminants.

Asselin racontera aux enquêteurs de la GRC comment Vincent Lacroix falsifiait les documents pour s'enrichir aux dépens des investisseurs. Il prétendra avoir tenté de confronter son ancien ex-patron sur la provenance des fonds chez Norbourg.

Mais c'était peine perdue : Lacroix, selon les dires d'Asselin, répondait chaque fois qu'il bénéficiait de l'aide de gens à qui il aurait fait faire « une tonne d'argent ».

« C'est eux qui m'aident à financer mes activités », répétait-il à son bras droit, à l'époque[27].

Asselin soutiendra avoir vu « des grosses sommes arriver » dans le compte de Vincent Lacroix et il ne faisait aucun doute, dans son esprit, que les acquisitions ne se faisaient jamais par des financements.

« Moi, j'ai découvert la fraude, puis en découvrant la fraude, bien de la façon que je l'ai compris, c'est que l'argent était soutiré des investisseurs ; il était rentré dans Norbourg International – bien, il a été rentré, au départ, quand ça a commencé, il a été rentré dans le compte

---

27. Déclarations contenues dans l'interrogatoire d'Éric Asselin devant le syndic, en octobre 2006.

fantôme de la Caisse populaire de La Prairie. Jean Cholette s'occupait du compte fantôme. Le compte n'apparaissait pas aux états financiers, c'est pour cela qu'on l'appelait compte fantôme. »

Vous y avez compris quelque chose? Tentons de mieux saisir les nuances de ces explications. À vrai dire, Éric Asselin prétend avoir mis plus de deux ans avant de se rendre compte des fraudes commises par son patron. Il était, bien entendu, au courant de l'existence du fameux « compte fantôme » à la Caisse populaire de La Prairie et il est difficile d'imaginer qu'il ne savait pas comment Lacroix faisait tourner son entreprise.

Asselin aura donc mis beaucoup de temps avant de découvrir la fraude chez Norbourg et de voir en Lacroix un fraudeur. Pourtant, le vice-président finances chez Norbourg était considéré comme un pilier au sein de la firme de placement. Il avait fait sa large part lors de l'inspection d'octobre 2002 menée par la CVMQ. Il avait participé aux activités de maquillage des états financiers de Norbourg.

Au moment où il franchit le seuil de la porte du quartier général de la GRC[28], le 21 juin 2005, Éric Asselin, devenu délateur, sait ce qu'il fait, fait ce qu'il veut et croit savoir ce qu'il vaut. Sa déposition et son témoignage incriminant vont mettre un terme, mais seulement deux mois plus tard, aux activités frauduleuses chez Norbourg. Asselin désire d'abord sauver sa peau. Il se rendra à la GRC pour éviter de se faire pincer.

En avril 2005, deux mois plus tôt, il avait reçu la visite des inspecteurs de l'AMF[29] dans le cadre de l'enquête débutée à la mi-novembre 2004. On lui avait posé des questions à propos de pratiques « irrégulières » qui semblaient agacer l'Autorité. Vincent Lacroix avait lui aussi été questionné par les enquêteurs. Les réponses de Lacroix et d'Asselin n'avaient pas satisfait les inspecteurs. On sentait, à l'AMF, que les deux personnages mentaient.

Asselin avait néanmoins conservé une relation en apparence privilégiée avec Lacroix, remplissant pour Norbourg, devenu son client, de très lucratifs mandats au profit de sa firme de consultation Conformia. Sur une période de cinq mois à peine, à compter de l'hiver 2005, Conformia enverra des factures totalisant 211 927 $.

---

28. La GRC a mené son enquête dans le cadre d'une opération baptisée « Necton ». Elle recherchait, lors des perquisitions du 25 août 2005 dans les locaux de Norbourg, tous les documents pouvant corroborer les allégations d'Éric Asselin, y compris les ordinateurs, les documents bancaires, le Grand livre général, les écritures de régularisation, le journal des salaires, les comptes de dépenses, les états financiers couvrant les années 2002 à 2005, ainsi que les dossiers des clients.

29. L'AMF avait précédemment demandé à Vincent Lacroix et à Éric Asselin de lui remettre des documents sur les activités de Norbourg.

Asselin ne pouvait ignorer, à ce moment-là, qu'il était payé avec l'argent des investisseurs. Dès février 2005, il touchera un premier chèque de Norbourg sous la forme d'« honoraires de consultation ».

Le délateur croyait que sa déposition à la GRC allait le rendre très riche. Il avait demandé qu'on lui verse un montant forfaitaire, variant entre 500 000 et un million de dollars, dans son compte en banque. En échange des informations privilégiées qu'il livrera aux enquêteurs, il tentera de négocier un emploi à vie dans la Fonction publique. Il demandera l'immunité en vue d'éventuelles accusations, en plus de solliciter une protection physique, au cas où des individus mal intentionnés auraient voulu lui faire un mauvais parti à la suite des témoignages incriminants qu'il allait livrer plus tard devant les tribunaux.

Il savait qu'il risquait gros. Seule sa demande d'immunité lui sera accordée. Cette immunité lui évitera d'avoir à répondre d'accusations pour avoir, notamment, falsifié des documents en compagnie de Vincent Lacroix.

Éric Asselin aura toutefois mal évalué la situation. À sa grande déception, il ne touchera pas le gros lot à la suite de sa déposition à la GRC. Il n'aura pas droit à la « prime de délation » qu'il croyait pourtant mériter en allant tout raconter sur son ex-ami et patron Vincent Lacroix.

Au cours des semaines qui ont suivi les perquisitions du 25 août 2005, mais surtout lors du procès au pénal contre Vincent Lacroix, il sera beaucoup question du rôle joué par Éric Asselin dans l'entourage de Vincent Lacroix.

Et au fil des témoignages devant les tribunaux, on réalisera que le vice-président devenu délateur n'avait rien d'un héros[30].

Si Asselin s'était rendu à la GRC en courant, c'est parce qu'il risquait le même sort que les collaborateurs de Vincent Lacroix. Il avait « tout vu » des magouilles du président de Norbourg. Mais il avait décidé de « bouger » un peu tardivement. Beaucoup trop tardivement, aux yeux des investisseurs floués, qui auraient souhaité qu'Asselin se montre plus vigilant dès son arrivée chez Norbourg.

_____

30. Le procès pénal en Cour du Québec a débuté en mai 2007.

À vrai dire, celui qui a véritablement tout vu, et qui s'est empressé de dénoncer Vincent Lacroix aux enquêteurs de la GRC, c'est le comptable Jean Hébert. Celui-là même qui avait été recruté par Éric Asselin. Il n'a mis que quelques mois à se rendre compte que Norbourg « c'était un robinet ouvert », et il a été en mesure d'expliquer aux enquêteurs de la GRC, quelques semaines avant les perquisitions chez Norbourg, que l'argent des investisseurs passait, dans le plus grand secret, des fonds communs de placement vers le compte bancaire d'une des filiales, en l'occurrence le compte dans lequel Vincent Lacroix puisait abondamment pour ses dépenses.

Le comptable avait constaté l'absence totale de vérifications internes. L'argent des investisseurs, selon lui, prenait toujours la mauvaise direction ; il aurait fallu que les fonds transitent par un compte en fiducie, et non par le président de la compagnie, Vincent Lacroix.

« La structure de Norbourg était complexe. C'était comme une pieuvre avec ses filiales et ses ramifications bien difficiles à cerner », se souvient le comptable agréé.

Jean Hébert préfère aujourd'hui oublier son passage chez Norbourg et sa « carrière » de vice-président finances. Il garde de douloureux souvenirs du procès au pénal, où il est resté « dans la boîte », dans une salle d'audience du Palais de justice, pendant trois jours.

« Je n'ai pas aimé témoigner. J'ai eu à répondre aux questions de Vincent Lacroix, qui se représentait lui-même, sans avocat. Il m'a posé des questions inutiles pour tenter de m'embarrasser », ajoute-t-il.

C'est toutefois une inconnue, qui se trouvait au Palais de justice, qui lui a fait le plus de bien. « Elle m'a félicité. Elle m'a dit que je m'étais tenu debout », dit-il avec émotion.

Jean Hébert, 48 ans, a tourné la page sur ce chapitre. Mais l'affaire Norbourg continue de le hanter. « J'ai passé 10 mois chez Norbourg et ces 10 mois ont ruiné 20 années de carrière. J'avais envie de travailler dans l'industrie des fonds communs de placement, mais avec ce qui m'est arrivé, je suis aujourd'hui dégoûté. Je ne veux plus en entendre parler », insiste-t-il.

Jean Hébert a vu les portes du marché du travail se refermer les unes après les autres depuis le 25 août 2005. Et il n'est pas le seul. « Dès qu'on disait qu'on avait travaillé chez Norbourg, on se faisait répondre qu'il n'y avait pas de place pour nous dans l'entreprise sollicitée. On m'a tellement répété qu'il fallait que j'attende la fin des procès avant de postuler un emploi dans une grande entreprise du placement », dit-il.

Il s'est donc fait travailleur autonome dans les services comptables. « Je travaille, mais autrement. Je ne force rien », ajoute-t-il.

Jean Hébert a décidé de se faire discret pour ne pas avoir à parler constamment de son passage chez Norbourg. « C'est un épisode pénible de ma vie et pour ma famille. Il est arrivé que mon fils me demande si j'allais faire de la prison ! », se souvient-il tristement.

Et pourtant, le comptable lavallois avait bien failli prendre une autre route que celle qui l'a conduit chez Norbourg en octobre 2004. « C'est Éric Asselin qui m'avait convaincu d'y entrer. J'avais un autre choix de carrière qui m'était offert. J'avais un poste qui m'attendait chez Bombardier pour m'occuper des fonds de retraite de la compagnie. J'étais rendu à l'étape des examens médicaux. Quelle mauvaise décision j'ai prise à ce moment-là d'ignorer Bombardier pour aller me foutre dans la gueule du loup chez Norbourg », réfléchit à haute voix le comptable Hébert.

Modeste, il refuse d'endosser l'habit de celui qui a freiné l'appétit vorace de Vincent Lacroix, mais ceux qui ont suivi l'enquête Norbourg ont réalisé que sa déposition à la GRC a contribué à faire cesser les activités frauduleuses de Norbourg. Il n'aura mis que quelques mois à se rendre compte que Vincent Lacroix transférait l'argent des investisseurs sur son compte personnel.

À sa manière, Jean Hébert est un héros méconnu qui a fait éclater Norbourg. « Mais j'ai dû vieillir de 10 ans en l'espace de quelques mois au cours de l'été 2005 », laissera tomber le comptable.

Un mois après l'intervention de la GRC et de l'AMF, les investisseurs floués auront des sueurs froides en prenant connaissance de l'ampleur de la catastrophe.

Dans les coffres de Norbourg, au 31 juillet 2005, selon les relevés du gardien de valeurs Northern Trust, il ne reste plus que 75,1 M$. Pourtant, les relevés de Norbourg font état d'un montant de 205,2 M$. Il y a donc une différence de 130,1 M$. Les « ponctions » atteignent 115,1 M$; un montant de 15 M$, calculé en fonction des rendements fictifs établis par Vincent Lacroix, s'ajoute pour arriver au total de 130,1 M$.

Lacroix est dans l'eau bouillante.

Où est donc passé l'argent? Ce ne sera pas une tâche aisée pour les investigateurs que de remonter la filière pour trouver où et comment le patron de Norbourg a détourné les fonds des investisseurs. D'autant plus que Lacroix n'a jamais fait les choses simplement alors qu'il était à la tête de sa firme de placement.

C'était un homme rusé, comme le confirmera en février 2006 François Filion, de la firme Leclerc juricomptables, dans son rapport d'enquête. Ce dernier fera d'incriminantes découvertes après avoir épluché pas moins de 170 caisses de documents[31]. Le juricomptable

---

31. Vincent Lacroix contrôlait une quinzaine de sociétés. La structure du Groupe financier Norbourg était à la fois complexe et incompréhensible.

Norbourg gérait les actifs de plusieurs fonds d'investissement. Les filiales avaient pour noms : Ascencia Capital, Investissement BBA (Gestion du patrimoine Tandem), NBA Fiduciaire (Canada), Norbourg Assurances, Norbourg Capital, Norbourg gestion d'actifs, Norbourg gestion financière, Norbourg International, Norbourg Services financiers, Société d'investissement Norbourg, Fonds Évolution, Infocap, Investissement SPA, Services financiers Dr (Perfolio), Norbourg Valeurs mobilières, Financière Norbourg et Fonds d'investissement Norbourg.

n'hésitera pas un seul instant à dire que les retraits irréguliers sont « cachés par une comptabilité » faussée par Lacroix. À vrai dire, les rapports soumis par Norbourg ont une valeur artificielle. La valeur liquidative des parts est même surévaluée, jusque dans le rapport annuel et dans les états financiers, constatera le juricomptable. Autrement dit, les chiffres étaient tous truqués. Lacroix ne manquait pas de culot ni d'imagination. Il faussait la valeur de chaque fonds sans tenir compte des retraits.

Des exemples ?

1) Le Fonds Évolution Équilibré valait, selon les rapports « officiels » de Norbourg, 13,1 M$ à la fin juillet 2005. En réalité, sa valeur n'était que de 115 000 $, selon les rapports de Northern Trust. Il ne restait plus que 1 % des actifs pour les épargnants lésés, volés.

2) Le Fonds Évolution Réa devait contenir des actifs de 15,3 M$; le même fonds avait perdu 51 % de sa valeur, à l'été 2005, avant que l'AMF ne pose les scellés.

3) Les Fonds Norbourg, version Vincent Lacroix, avaient des actifs de 56,4 M$ au 31 juillet 2005, selon l'analyse de Leclerc juricomptables. Or, ces actifs n'atteignaient plus que 4,9 M$ à la même période. Ce sont 91 % des actifs qui avaient « pris le bord ».

L'ensemble du portefeuille des fonds Évolution avait été saigné de 53 % de ses actifs. Ceux-ci devaient totaliser 148,8 M$; ils se chiffraient désormais à 70,1 M$, selon les vrais rapports de Northern Trust, complètement à l'opposé des bilans fardés. Lacroix envoyait de fausses informations aux investisseurs qui croyaient à de bons rendements. Il avait également confondu les enquêteurs de l'AMF dès novembre 2004. Il avait menti sur la provenance des fonds dont il disposait pour faire des acquisitions à coups de dizaines de millions de dollars. Lacroix avait produit de faux documents : très exactement 116 ! Ces documents laissaient croire qu'il disposait des revenus nécessaires lui permettant d'investir lui-même dans Norbourg.

Dans son bilan personnel du 30 juin 2004, par exemple, il prétendait détenir 43,7 M$ sous forme de placements, principalement dans les sociétés qu'il possédait. Il soutenait détenir 14,1 M$ d'actifs à court terme. Ce n'était pas son argent, mais plutôt celui des investisseurs !

Toujours en novembre 2004, il a ainsi produit une série de factures justifiant que les montants retirés chez Northern Trust se trouvaient dans les coffres de Norbourg, et non pas dans ses poches. Il a fourni de faux états de compte et simulé des dépôts et des transactions sur des titres.

« Tous les documents ont été fabriqués », admettra Lacroix.

Encore une fois, pour déjouer les enquêteurs de l'AMF, la petite équipe de collaborateurs de Norbourg se regroupera autour d'Éric Asselin, prétendra le financier déchu. Mais contrairement à l'inspection d'octobre 2002 menée alors par la CVMQ, cette « vérification » ne donnera pas de fil à retordre à Vincent Lacroix. « Il n'y aura pas de chiffre [sic] de nuit », ajoutera-t-il, faisant allusion au travail nocturne pour fabriquer des rapports sur les entrées et sorties de fonds.

Avec adresse, Lacroix empruntait des chemins sinueux pour arriver à ses fins. C'est de cette façon qu'il tentait de semer les enquêteurs de l'AMF sur la route de Norbourg.

La juricomptable Guylaine Leclerc, associée de François Filion, une sommité dans son domaine pour avoir participé à des centaines d'interventions à travers le pays, de 1991 à 2005, dans des dossiers d'enquêtes de fraudes financières, avait pour sa part conclu que Norbourg était une affaire de blanchiment[32]. Ce n'était cependant pas du blanchiment avec l'argent du trafic de la drogue, mais plutôt avec l'argent des investisseurs…

Elle constatera que le financier déchu avait mis en place un stratagème complexe pour rapatrier de chez Northern Trust, le gardien de valeurs, l'argent des investisseurs dans les fonds Norbourg et Évolution. Les sommes retirées des fonds étaient d'abord « placées » dans l'un des 26 comptes bancaires à son nom ou au nom de ses sociétés. Par la suite, pour brouiller les pistes, Lacroix faisait passer l'argent d'un compte à l'autre. Cela lui permettait d'effacer les traces de « ponctions ».

La juricomptable découvrira que Vincent Lacroix avait pris l'habitude de pratiquer « une multitude de transactions extrêmement laborieuses, des entrées et des sorties [de fonds] dans ses sociétés et comptes bancaires ». Elle parlera d'un « flux monétaire continuel, sans logique ».

---

32. La juricomptable Guylaine Leclerc a témoigné à la demande de l'AMF lors du procès au pénal de Vincent Lacroix, en octobre 2007.

Il ne fait pas de doute, pour Guylaine Leclerc, que ces acrobaties bancaires avaient pour but de cacher l'origine réelle des fonds. « Il s'agit d'un processus de blanchiment d'argent [...], de l'argent gardé chez Northern Trust », tranchera-t-elle.

L'objectif ultime était de remettre l'argent blanchi « dans le système économique pour pouvoir l'utiliser, pour pouvoir en profiter ». La juricomptable conviendra que son équipe d'experts qui a travaillé sur le dossier Norbourg a eu du mal à remonter la filière pour comprendre comment Lacroix opérait. Il a fallu constituer des banques de données pour trouver l'origine des fonds et débusquer les traces de fraude dans les états financiers. « Les traces étaient passablement brouillées », dira Guylaine Leclerc.

Mais comment Vincent Lacroix a-t-il réussi à détourner 115 M$ des fonds Norbourg et Évolution? Nous savons qu'il a dépensé, au bas mot, près de 35 M$ pour faire plaisir à ses amis, via des prêts et des dons, et pour se bâtir du capital, consolider son réseau, tisser sa toile. Il ne s'est pas contenté de dépenser ces montants à des fins personnelles ou « amicales », il a également utilisé l'argent des investisseurs pour renflouer les entreprises déficitaires du Groupe Norbourg. Il a ainsi puisé 43 M$ à cette fin. Il maquillera les états financiers de Norbourg et des filiales pour les rendre plus attrayants et cacher les cicatrices laissées par ces grossiers retraits. Il ponctionnera les comptes de ses clients à un rythme soutenu.

Norbourg enverra même jusqu'à trois demandes de retraits, le même jour, au gardien de valeurs Northern Trust. On parlera de retraits de 200 000 $, 300 000 $ et 400 000 $. L'argent des investisseurs ne générait pas de profits, bien au contraire. Il passait plutôt dans l'entonnoir du gardien de valeurs et revenait chez Norbourg pour être mieux dépensé par Lacroix. Le président signait des chèques – dire qu'il les encaissait serait plus juste.

« C'était relativement aisé, pour vous, de naviguer à travers ça, de faire les retraits sans que cela paraisse? » lui a-t-on demandé en interrogatoire.

Lacroix se risquera à des explications pour le moins biaisées. Il fera valoir, par exemple, que c'était alors le « fouillis » entre la filiale Opvest (Desjardins) et le gardien de valeurs; qu'il n'y aurait pas eu de « synergie » entre les deux.

Si on lit entre les lignes, on comprendra que Northern Trust et la filiale Opvest n'avaient pas accès aux vraies données sur les sorties de fonds. Lacroix envoyait des rapports internes de Norbourg qui ne tenaient pas compte de la réalité. Il y aurait eu, selon la version de

Lacroix, des fissures assez larges dans le plancher pour lui permettre de dévaliser la maison sans déclencher le système d'alarme.

Il tentera de justifier ses gestes frauduleux en pelletant dans la cour du voisin. Il s'étonnera lui-même d'avoir pu vider les fonds d'un simple « clic » sans avoir à rendre de comptes auprès du gardien de valeurs. Il n'aura même pas à se soucier d'envoyer des rapports chez Northern Trust.

Lacroix maintiendra que le cerveau derrière toute cette opération, c'était lui, lui seul, Vincent Lacroix.

« Le *thinking* venait de Vincent Lacroix [note : il parle de sa propre personne !]. À un moment donné, puis on se demande pourquoi, chez Northern Trust, il y a eu un *mismatch* complet. On envoyait les états de comptes là-bas et, à un moment donné, il y a eu, je vous dirais, un *blackout*, on peut l'appeler ainsi, entre tout ce qui était fait en termes de *reporting*, chez Northern Trust. Et là, évidemment, la remorque s'est décrochée de l'auto, dans le sens qu'il n'y a plus rien qui suivait. »

Traduction libre : à ses yeux, Vincent Lacroix était celui qui décidait, celui qui réfléchissait. Il constatait aussi que le gardien de valeurs ne « gardait » rien et que Northern Trust ne semblait pas faire un suivi rigoureux des demandes de sorties de fonds de Norbourg.

Et pourtant, ce ne sont pas les occasions de lui mettre le grappin dessus qui ont manqué dans le dossier Norbourg-Northern Trust. À quelques reprises, en 2004, des hauts dirigeants venus de Toronto et même de Chicago, lui auraient rendu visite dans les locaux de Norbourg sans motif apparent.

Le président de Norbourg n'a jamais redouté ces visites. Il était en pleine possession de ses moyens et n'hésitait pas à leur remettre des rapports (de faux rapports) sur les activités de sa prospère entreprise de placement.

À n'en point douter : Lacroix sévissait avec une facilité déconcertante et cela lui permettait de s'enrichir et d'acheter des propriétés. Nous parlons notamment de la maison familiale sise au 15, rue Dagobert, à Candiac, de la maison de campagne de Magog et de la résidence de son père, Donald, également à Magog. Ces trois propriétés, acquises au montant de 1,4 M$, auront été payées par les investisseurs. À sa résidence de Candiac, Vincent Lacroix se fera installer un système de sécurité très sophistiqué, au coût de centaines de milliers de dollars. Il pouvait ainsi observer, à distance, ce qui se passait dans les bureaux de Norbourg, au centre-ville de Montréal. Des caméras avaient par ailleurs été placées autour de sa maison.

En outre, Lacroix permettra à des employés et à des amis de trouver la mise de fonds nécessaire à l'achat de propriétés. On calcule qu'il a dépensé, de 2003 à 2005, la somme de 12,4 M$ pour l'acquisition de 14 propriétés, à son nom, à celui de sa conjointe, Sylvie Giguère, ou encore à ceux de collaborateurs et d'employés. Il était très porté sur l'immobilier, Vincent Lacroix. Il a notamment acheté une maison pour loger un de ses hommes à tout faire, à Repentigny, dans la région de Lanaudière.

Le grand patron consentait également des augmentations de salaire, ainsi que des bonis, sans rechigner. En salaires, en bonis et en avantages de toutes sortes, Norbourg aura versé 7,3 M$ de 2002 à 2005. Le patron redoutait-il que ses employés se rebiffent contre lui et qu'ils courent ensuite se syndiquer à la CSN? Des membres de la famille du patron de Norbourg profiteront eux aussi des largesses de Lacroix.

Vincent Lacroix pensait aussi à ses amis en affaires. C'est dans cet esprit qu'il investira dans Zip Jeans, à Sherbrooke. Cette boutique a même fait partie de Norbourg Services financiers. L'aventure n'a rien rapporté. On parle plutôt d'une perte de plus de 70 000 $. Lacroix ne se souciera pas de ces faux plis sur les rendements projetés par son groupe.

Il versera 250 000 $ à la firme Nutritek, une compagnie appartenant à un membre de sa famille, et un chèque de 51 500 $ sera fait au nom de sa sœur, Stéphanie Lacroix, qui était secrétaire chez Norbourg.

Un autre chèque, cette fois de 3 M$, est venu bien près d'être émis au nom de Jacques Hamel, un représentant en épargne collective affilié à Gestion du patrimoine Tandem. Il avait alors été question d'investir dans une mine de Rimouski, propriété de ce représentant, qui détenait les droits miniers sur la barytine.

Lacroix envisage aussi, en 2003-2004, d'acheter l'usine de montres Wenger, en Suisse. Il déboursera un peu moins de 10 000 francs suisses sans que le projet n'aboutisse. Lacroix investira 600 000 $ dans la société Dagua. La famille Chagnon (autrefois propriétaire du Groupe Vidéotron) fait partie des actionnaires de Dagua, qu'on dit alors dotée d'une technologie de pointe. Ce placement, comme tous les autres, aura été mauvais pour les investisseurs. Norbourg mettra également de l'argent dans la Northstone Power Corp., un producteur d'électricité de l'Alberta.

Ces gestes de générosité de Vincent Lacroix ne se limitaient pas strictement à ses amis et aux membres de sa famille. Le président de Norbourg ciblait ses « dons », et quand il faisait un chèque à un ami ou à une connaissance dans l'industrie du placement, c'était d'abord pour servir ses propres intérêts financiers. Il pouvait arriver que Lacroix commette des erreurs, qu'il paie un prix un peu trop élevé pour convaincre un courtier, un représentant, à passer dans son camp.

Il avait proposé tout un « deal » au représentant en épargne collective Robert Duval, actionnaire du Groupe Futur, de Val-d'Or, en avril 2003. Duval avait vendu ses actions dans la firme de courtage de l'Abitibi pour une somme proche de 1,9 M$. Il avait accepté par la suite de céder sa clientèle à Norbourg et à Lacroix moyennant un « paiement » de 600 000 $, en septembre 2003.

Ces échanges de bons procédés permettront à Robert Duval d'obtenir de Vincent Lacroix un « prêt » de 3,3 M$. C'est avec cet argent que Duval pourra lancer Planures du Nord-Ouest, un fabricant de paillis de bois (bran de scie).

Jusque-là, on pourrait croire que le représentant Robert Duval avait du flair tout en étant guidé par un sens aigu de la négociation.

C'est ce qu'on aurait pu croire, du moins jusqu'au 6 janvier 2009. Les investisseurs floués chez Norbourg ont dû trouver leur café plus amer qu'à l'habitude, ce jour-là, quand ils ont pris connaissance d'une décision rendue le 23 décembre 2008 par la Chambre de la sécurité financière (CSF). La Chambre réprimandera Robert Duval, ce représentant en épargne collective lié étroitement à certaines opérations financières de Lacroix. Elle lui reprochera d'avoir donné des informations fausses ou incomplètes à ses clients. Il n'aurait pas agi dans l'intérêt de sa clientèle, en plus de se placer en conflit d'intérêts, conclura la CSF.

C'est que Duval avait caché à ses clients ses liens d'affaires avec Lacroix et Norbourg. C'est d'ailleurs dans un contexte de très grande promiscuité, entre Duval et Lacroix, que le courtier avait vendu ses actions dans Groupe Futur.

Le comité de discipline de la Chambre ne se contentera pas de réprimandes. Il déclarera le représentant coupable de 39 des 47 chefs d'accusation déposés contre lui.

« L'acceptation pour son entreprise d'un financement d'envergure, par Lacroix, était de nature à engendrer un conflit d'intérêts entre [M. Duval] et ses clients dont il dirigeait les avoirs vers les fonds Norbourg et [M. Duval] aurait dû le savoir », tranchera le comité de discipline de la Chambre de la sécurité financière.

Robert Duval aura commis une faute en manquant d'aviser ses clients en la matière, ajoutera la Chambre. Mais Vincent Lacroix, lui, fera encore pire avec l'argent des investisseurs.

Le financier fraudeur aura recours à une panoplie de moyens pour investir des millions à son avantage. Vincent Lacroix se fera prospecteur minier, à sa manière, en devenant un important actionnaire dans la société Ressources Dianor, une minière de Val d'Or[33], à compter d'octobre 2003. Il investira 7,8 M$. « Nous lui avions fait des présentations. Il voyait beaucoup de potentiel », nous confiera, en août 2009, le président du conseil d'administration de Dianor, Daniel Duval.

Selon lui, cette participation boursière du président de Norbourg devait permettre à la minière abitibienne de mener à terme son projet de mine de diamants « Leadbetter » à Wawa, en Ontario. Il s'agissait d'un projet situé au nord du Lac Supérieur, entre Thunder Bay et Sault-Sainte-Marie.

« Il avait acquis des actions pour nous aider à développer ce projet prometteur que nous tentons toujours de réaliser », raconte le président du conseil.

Dianor a-t-elle déroulé le tapis rouge à Lacroix pour qu'il investisse autant d'argent sous la forme d'actions? Mais qu'est-ce qui motivait Lacroix à investir autant d'argent dans une minière qui connaissait sa part de difficultés financières? Et pourquoi Dianor?

Pour toute explication, Vincent Lacroix dira alors que son salaire est « dans les sept chiffres » et que cet investissement, en son nom personnel, avec l'argent des investisseurs, constitue « un abri fiscal ».

Il y avait une autre raison, beaucoup plus terre à terre. C'est par l'intermédiaire du courtier Robert Duval, le frère de Daniel, l'actuel

---

33. En octobre 2006, le liquidateur Ernst & Young vendait un bloc de 15 millions d'actions détenues par Norbourg dans la société de diamants Dianor, au prix de 85 cents par action. La vente a rapporté 12 M$.

président du conseil d'administration de Dianor, que Vincent Lacroix sera « invité » à joindre les rangs des gros actionnaires de Dianor.

« Je sais qu'il avait acquis des actions à 25 cents l'unité. Je me souviens aussi que ces actions ont déjà valu 2 $ », raconte le président du conseil.

Daniel Duval n'a jamais douté de la crédibilité de Vincent Lacroix et c'est en toute confiance qu'il investira lui-même « un peu » dans Norbourg, sans en préciser le montant.

Cet investissement était, en quelque sorte, un échange de bons procédés. Lacroix mettait les sous de ses clients dans Dianor; en retour, il élargissait sa clientèle d'investisseurs.

« C'était quelqu'un qui prenait la peine d'investir chez nous », dira le président du conseil d'administration.

Tout s'est brisé d'un coup, le 25 août 2005, quand la GRC et l'AMF ont mis fin aux activités de Norbourg. « Ça nous a fait mal, l'affaire Norbourg, mais les événements de l'après-Norbourg ont été encore pires », déplore le président du conseil.

Il n'a pas apprécié le travail du liquidateur Ernst & Young, qui avait pris le relais de Vincent Lacroix comme actionnaire de transition chez Dianor.

« Nous avons subi toute une débandade à cause de ces événements », soutient Daniel Duval.

Selon lui, le liquidateur n'aurait pas pris la bonne décision en vendant un gros bloc d'actions détenues par Vincent Lacroix dans Dianor, le 20 octobre 2006. « Ce n'est pas une décision qui a vraiment servi la cause des actionnaires, ni celle des investisseurs dans Norbourg », allègue-t-il.

Il est persuadé que le liquidateur a ainsi contribué, indirectement, à faire chuter le cours des actions de Dianor.

« Nous avons été victimes de tous bords, tous côtés. La communication a fait défaut avec Ernst & Young. Nous avons tenté de leur expliquer quel serait l'impact de la vente des actions. Mais c'était peine perdue », souligne Daniel Duval.

Mais qu'en est-il de Vincent Lacroix, le financier fraudeur? « Je n'excuse pas le geste qu'il a posé. Mais il n'est pas le seul à blâmer. Cette affaire-là a causé beaucoup de frustrations. On a constaté l'inertie du gouvernement; on a vu des manquements de l'AMF dans son rôle de protecteur des investisseurs. On ne peut pas dire qu'Ernst & Young a bien fait avec les actions de Dianor. C'était quoi l'urgence de vendre le gros bloc d'actions? Pour tout dire, tout le monde y a perdu », martèle-t-il.

Il ne cache pas que l'affaire Norbourg a eu l'effet d'un tremblement de terre chez Dianor. L'action ne valait plus que 7 cents[34], quatre ans après le scandale Norbourg. « On va devoir travailler fort pour faire remonter l'action », admet Daniel Duval.

Le président du conseil d'administration est aussi un investisseur floué qui fait partie des « victimes » de Vincent Lacroix.

Vincent Lacroix était-il un actionnaire qui visait le rendement à long terme chez Dianor? Ce qu'on sait, et c'est la version de Vincent Lacroix, c'est qu'il a toujours affirmé qu'il misait sur les rendements anticipés dans Dianor pour combler les « trous » qu'il avait lui-même creusés au fil des années dans Norbourg.

Lacroix continuera de prétendre, plusieurs mois après l'éclatement du scandale, que les victimes de Norbourg auraient sans doute été indemnisées si l'AMF n'avait pas mis fin « précipitamment » à ses activités. Il était convaincu que Dianor, son placement dans le secteur minier, allait exploser en Bourse, et que les profits réalisés, combinés à d'autres transactions, allaient lui permettre de renflouer les coffres de sa firme de placement. Il a exposé sa théorie à maintes reprises.

---

34. Norbourg détenait 20,6 millions d'actions, soit 16,5 % du capital-actions de Dianor, à la fin de l'été 2005. Le liquidateur possédait encore 5 millions d'actions ordinaires, en août 2009, ainsi que 5 millions de bons de soucription (*warrants*). Le titre se négociait à 7 cents à la mi-août 2009.

DEUXIÈME PARTIE
DES FONDS SAIGNÉS

Mais comment Vincent Lacroix procédait-il pour saigner les fonds des investisseurs à coups de dizaines de millions de dollars ? Comment le financier parvenait-il à encaisser le *cash* comme s'il se présentait au guichet automatique d'une succursale bancaire dans sa banlieue de Candiac ?

Lacroix avait établi son plan. Un plan qui lui permettra de faire la piastre sans trop d'efforts. On l'a dit précédemment, le président de Norbourg se servira de ses comptes bancaires pour « blanchir » l'argent des investisseurs jusqu'à la toute fin. Il fera transiter les fonds par la Caisse populaire de La Prairie.

Il soutiendra avoir demandé la collaboration de son cousin, David Simoneau, et de son contrôleur, Jean Cholette, pour faire sortir de grosses sommes d'argent gardées par Northern Trust.

C'est ainsi que des paiements, provenant de la filiale Norbourg International, seront autorisés au montant de 23,4 M$, dans la colonne « avances à Vincent Lacroix », au cours des années 2003, 2004 et 2005.

Simoneau effectuait les transferts de fonds entre Norbourg et le gardien de valeurs. Lacroix pouvait lui ordonner, par exemple, de faire une demande de retrait de 2 M$ US à Northern Trust.

Et l'argent arrivait comme une manne céleste. Pour siphonner ces millions, Simoneau ira chercher 250 000 $ dans un fonds, 500 000 $ dans un autre, 300 000 $ dans un autre encore. L'argent aboutissait dans le « compte fantôme » de la Caisse populaire de La Prairie. Cholette, le contrôleur, comptabilisait pour sa part les montants retirés chez Northern Trust.

Toutefois, en raison de ces retraits massifs, les fonds gardés chez Northern Trust se sont retrouvés à découvert à plusieurs reprises, et pour des montants pouvant parfois atteindre 1,4 M$ dans les fonds

Évolution. C'était une situation pour le moins anormale, inquiétante, préoccupante même.

Le gardien de valeurs enverra une série de courriels à Simoneau pour lui faire part de l'état des choses. Peine perdue : les rapports envoyés étaient constamment modifiés, dénaturés, et parfois même détruits à l'insu de Northern Trust. Derrière l'opération, il y avait l'informaticien Félicien Souka, qu'on disait très habile dans l'art de faire disparaître des chiffres et des décimales...

L'informaticien, ami de Serge Beugré, travaillait dans un bungalow anonyme qu'avait acquis Vincent Lacroix, rue Jacques, à La Prairie. C'est là, dans cette paisible banlieue de la Rive-Sud, qu'il aurait trafiqué les données acheminées par Northern Trust en utilisant le logiciel Octan. On parlera plutôt du « logiciel Souka ».

« Le logiciel qu'on avait demandé à monsieur Souka de nous faire était devenu, je vous dirais, convenable. On pouvait entrer les données et les [faux] rapports sortaient », expliquera Lacroix.

Souka fera tellement bien fait son boulot que le 24 août 2005, les rapports Octan-Northern Trust, truqués par l'équipe Norbourg, indiqueront, pour chacun des fonds, une valeur totale de 202 M$ alors que les authentiques rapports de Northern Trust, pour la même période, afficheront une valeur de 72 M$. Il y avait donc un trou de 130 M$. Plusieurs des fonds étaient à découvert, sans valeur, ni comptant.

Ce n'était pas une façon bien subtile de procéder mais le trafiquage des données était efficace pour Vincent Lacroix et ses collaborateurs complices. Il était facile de modifier les données réelles sur la valeur des fonds puisque le gardien de valeurs semblait somnoler, si l'on en juge par l'« appréciation » que faisait Vincent Lacroix des autorités chez Northern Trust.

Des exemples de laxisme, Lacroix en fournira en très grandes quantités, sans même éprouver une certaine gêne, quand on lui demandera d'expliquer les dessous de l'affaire Norbourg, après les perquisitions du 25 août 2005. À vrai dire, il pouvait effectuer des retraits comme bon lui semblait, et ça se faisait en criant ciseaux! Les gardiens de valeurs Northern Trust, à Toronto, et Concentra Trust, en Saskatchewan, ne lui posaient aucune question. Les sommes ainsi retirées, qui comportaient pourtant une composante en capital et en intérêts, étaient toutes arrondies. Cela aurait dû, normalement, alerter certaines personnes en position d'autorité. Lacroix paraissait lui-même étonné de voir avec quelle facilité il pouvait opérer. Mais ils n'ont « jamais levé le *flag* », pour reprendre l'expression du syndic aux sociétés Norbourg. Northern Trust, pour sa part, semblait ignorer si les retraits et les transferts que sollicitait Lacroix, dans les Fonds Norbourg et Évolution, étaient bel et bien demandés par les investisseurs eux-mêmes. « À cette époque, nous nous en tenions aux instructions du client », déclarera la vice-présidente de Northern Trust, Veda Nancoo.

Ainsi, Lacroix ou son cousin, David Simoneau – les signataires autorisés des requêtes – précisaient par téléphone, par courriel ou par fax, les montants à retirer. Northern Trust s'exécutait. Il a été démontré que les retraits frauduleux se sont retrouvés dans des comptes « ordinaires », personnels ou corporatifs identifiés à Lacroix. Certains transferts ont été par la suite effectués dans des comptes n'appartenant pas à Norbourg: l'un dans l'Ouest canadien, l'autre en Suisse. Aucun de ces retraits ne transitait par le compte en fidéicommis de Norbourg, ce qui contrevenait aux règles de l'industrie des fonds communs de placement. En effet, celles-ci stipulent que l'argent des investisseurs doit passer, obligatoirement, par un tel compte en fidéicommis. C'est une simple question de transparence et cela permet en même temps d'assurer la sécurité des mouvements de fonds. Comment Norbourg a-t-elle pu faire pour passer outre à cette règle? Quelle histoire à dormir debout Vincent Lacroix a-t-il bien pu raconter à ses interlocuteurs chez Northern Trust pour se soustraire à cette obligation ?

Après coup, en 2006, l'AMF reprochera à Northern Trust sa négligence, son laxisme et déplorera « l'aveuglement volontaire dont le gardien de valeurs aurait fait preuve dans le cadre de sa relation avec les différents fiduciaires et gérants des Fonds Norbourg et Évolution ».

C'est bien là le dilemme auquel seront confrontés les investisseurs floués de Norbourg. D'une part, ils constateront que Vincent Lacroix se jouait d'eux comme il se jouait de ses gardiens de valeurs. D'autre part, ils auront tôt fait de comprendre que même l'AMF tentera de faire porter une partie de l'odieux à Northern Trust.

Qu'on l'admette ou qu'on le réfute, Vincent Lacroix avait des talents certains de manipulateur. Il était servi par un flair indéniable. Il savait à quelle porte frapper pour trouver du réconfort et des appuis. Il sera aidé par des « facilitateurs ». Ceux-ci joueront un rôle dans le gâchis Norbourg, et leurs gestes – certains diront leur inaction – contribueront aux déboires des investisseurs.

- La Caisse de dépôt et placement du Québec

La Caisse de dépôt et placement du Québec avait décidé qu'elle ne voulait plus évoluer dans l'industrie des fonds communs de placement. Cette décision était déjà prise, en septembre 2002, lorsque est entré en fonction le PDG Henri-Paul Rousseau.

Services financiers CDPQ, une filiale de la Caisse, avait donné le mandat au PDG de Capital Teraxis, Michel Fragasso, de trouver un acheteur pour Fonds Évolution et le réseau de distribution, qui ne faisaient plus partie des priorités et perdaient de l'argent.

La Caisse, actionnaire à 80 % de Capital Teraxis, distributeur entre autres de Fonds Évolution, semblait impatiente d'en finir avec ce dossier qu'elle traînait comme un boulet, ce qui explique l'échéancier fixé à la fin décembre 2003 pour « fermer les livres ».

Elle vendra à l'un de ses anciens employés : Vincent Lacroix, président de Norbourg, déboursera 10,3 M$ pour Fonds Évolution et Capital Teraxis, ainsi que 4 M$ pour l'acquisition du 55, Saint-Jacques, en tenant compte de l'hypothèque de 2,5 M$ consentie par la Caisse.

La vente de Fonds Évolution et de Capital Teraxis sera finalisée en un temps record : 35 jours plutôt que 60. Une transaction en mode « fast track » qui sera sanctionnée par l'AMF, à la demande de la Caisse, a-t-on dit.

Ces montants substantiels seront payés au comptant par le président de Norbourg, sans emprunt bancaire, l'acheteur n'aura pas à justifier la provenance d'aussi importantes liquidités. Et il n'aura aucun mal à finaliser ces transactions même si, un an auparavant, en octobre 2002, Norbourg avait fait l'objet d'une vérification « problématique » menée par la CVMQ.

Les bonnes questions ont-elles été posées? S'est-on demandé comment Vincent Lacroix, qui touchait un salaire annuel de 60 000 $, en 1991, comme analyste à la Caisse de dépôt et placement du Québec, pouvait, logiquement et concrètement, disposer d'autant d'argent pour payer *cash*? Où avait-il pu trouver cette somme?

La Caisse a-t-elle vraiment pris le temps de vérifier l'état des finances de Norbourg avant de se départir de Fonds Évolution et Capital Teraxis?

Où se situait, au juste, le rôle de la Caisse, dans cette vente de feu en faveur de Vincent Lacroix? Il est vrai que les investisseurs floués ne déposaient pas leur argent directement à la Caisse, mais plutôt dans Fonds Évolution. Il est aussi juste de dire que la Caisse n'a « jamais géré » des fonds appartenant à ces investisseurs. La gestion des fonds communs de placement était confiée à des gestionnaires externes « qui n'avaient aucun lien direct avec la Caisse ».

Mais en autorisant la vente de Capital Teraxis et Fonds Évolution à Vincent Lacroix, la Caisse déclenchera, bien involontairement, une tempête financière dévastatrice dont on commencera à mesurer l'ampleur à compter du 25 août 2005.

- Northern Trust et Concentra Trust

La firme Northern Trust est une entreprise solide, puissante et respectée, avec un siège social à Chicago. Elle a déjà eu ses bureaux à Montréal. Ce serait des « contacts » à la Caisse de dépôt et placement du Québec qui auraient recommandé à Vincent Lacroix de cogner à cette porte prestigieuse. Northern Trust agira donc à titre de gardien de valeurs pour les fonds Norbourg et Évolution.

Un autre fiduciaire, Concentra Trust, basé en Saskatchewan, gardera les valeurs d'un certaine nombre de fonds Évolution pour le compte de Norbourg.

Les deux gardiens de valeurs auraient commis plusieurs « erreurs » – l'AMF a parlé de « laxisme » dans le cas de Northern Trust – mais aux yeux des investisseurs, la plus grande faute aura été de laisser couler le « robinet ». Vincent Lacroix ne sera jamais importuné par une quelconque « menace » de contre-vérification venant de la part des gardiens de valeurs.

Comment se fait-il que Northern Trust et Concentra Trust ne se soient pas rendu compte des malversations de leur client québécois ? Comment expliquer que ces deux firmes aient octroyé autant de marge de manœuvre au président de Norbourg ? Pourquoi ne pas avoir exigé des comptes pour s'assurer que tout était fait selon les règles ? Avec des retraits quotidiens aussi fréquents, et avec des sommes aussi élevées retirées des fonds sur de courtes périodes, n'y avait-il pas là de bonnes raisons de s'inquiéter ? Comment comprendre que Northern Trust permettait le transfert de fortes sommes d'argent à Norbourg même si des comptes étaient *short cash*, dans le rouge ?

Vincent Lacroix remettait chaque année une copie du prospectus de Norbourg. La valeur des fonds réflétée au prospectus ne tenait pas compte des « retraits irréguliers ».

Si Northern Trust avait comparé les fonds sous gestion avec les fonds du prospectus fourni par Norbourg, le gardien de valeurs aurait été à même de constater, chiffres à l'appui, qu'il y avait des écarts considérables.

Mais comment expliquer que le gardien ne l'ait pas fait ?

- **L'Autorité des marchés financiers (AMF)**

L'Autorité des marchés financiers (AMF), qui a remplacé la CVMQ en janvier 2004, a pour rôle de voir aux intérêts des petits investisseurs. Elle doit veiller à ce que les entreprises qui évoluent dans le marché du placement se conforment aux règles les plus strictes. L'Autorité, ce sont les yeux et les oreilles des investisseurs, qui n'ont pas les moyens de surveiller le comportement des hauts dirigeants et des courtiers.

Dans le dossier Norbourg, l'organisme de régulation des marchés semble s'être plutôt mal comporté. Une première inspection, menée par la CVMQ en octobre 2002, aurait pu permettre de coincer Vincent Lacroix, mais il n'en sera rien. Ce n'est qu'en novembre 2004 que l'Autorité déclenchera une véritable enquête sur les activités louches de la firme de placement. Il faudra attendre 9 longs mois avant que cette enquête ne se traduise par une série de perquisitions chez Norbourg.

Cette lenteur à intervenir a soulevé de nombreuses questions. Comment expliquer, par exemple, que deux années se soient écoulées entre l'inspection de la CVMQ et l'enquête de l'AMF? Et pourquoi l'Autorité a-t-elle tant tardé à investir les bureaux de Norbourg, boulevard René-Lévesque Ouest? Faut-il comprendre que l'Autorité n'avait pas toutes les preuves en mains pour neutraliser le financier fraudeur?

N'y avait-il pas suffisamment de signaux alarmants pour envoyer plus rapidement des équipes d'enquêteurs sur le terrain miné de Norbourg? Comment justifier, également, ce manque de communication apparent entre les autorités de l'AMF et les enquêteurs de l'Équipe intégrée de la police des marchés financiers (ÉIPMF) de la GRC?

Cette communication déficiente fera en sorte que l'AMF, qui menait une enquête depuis des mois, ne sera informée que le 9 août 2005, 16 jours seulement avant les perquisitions, de la déposition incriminante d'Éric Asselin, l'ex-bras droit de Lacroix, aux enquêteurs de la GRC.

- KPMG

La firme comptable KPMG, à la réputation enviable dans son secteur d'activités, était responsable de la vérification des états financiers de Fonds Évolution. Dans le rapport annuel 2004, elle signait son nom au bas du texte standard qu'on retrouve dans toute vérification.

« Nos vérifications ont été effectuées conformément aux normes de vérification généralement reconnues au Canada. Ces normes exigent que la vérification soit planifiée et exécutée de manière à fournir l'assurance raisonnable que les états financiers sont exempts d'inexactitudes importantes. La vérification comprend le contrôle par sondages des éléments probants à l'appui des montants et des autres éléments d'information fournis dans les états financiers. Elle comprend également l'évaluation des principes comptables suivis et des estimations importantes faites par le gérant, ainsi qu'une appréciation de la présentation d'ensemble des états financiers. À notre avis, ces états financiers donnent, à tous les égards importants, une image fidèle des placements de chacun des Fonds au 31 décembre 2004 ainsi que de leur situation financière, des résultats de leur exploitation et de l'évolution de leur actif net aux dates et pour les périodes indiquées à la note 1 b) selon les principes comptables généralement reconnus au Canada ».

Comment se fait-il que la firme de vérification comptable n'ait pas découvert ce qui se cachait sous le tapis ? Il faut rappeler que la firme KPMG était chargée de la vérification de Fonds Évolution au moment où ces fonds communs de placement étaient la propriété de Services financiers CDPQ (la Caisse).

Or, avant d'accepter le mandat de vérification de ces fonds, maintenant qu'ils « appartenaient » à Norbourg, la firme comptable s'était-elle inquiétée de l'intégrité de Vincent Lacroix ? Avait-elle pris le temps de valider des rumeurs sur la « solvabilité » de son nouveau client ?

N'y avait-il pas des raisons valables de refuser un tel mandat ? Comment comprendre, enfin, que KPMG n'ait pas demandé une confirmation indépendante provenant d'une tierce partie dans le cadre de la vérification comptable des états financiers de Norbourg après l'acquisition de Fonds Évolution ? Cela aurait-il pu permettre à KPMG de découvrir les écarts considérables entre les montants des fonds sous gestion chez le gardien de valeurs Northern Trust et ceux rapportés par Norbourg ?

Aurait-il été de mise de faire un simple calcul et la comparaison entre les montants indiqués dans les rapports de garde trimestriels (non falsifiés) et les montants de chacun des fonds indiqués dans les états financiers (internes) des fonds Évolution ?

- Beaulieu Deschambault

Rémi Deschambault a connu Vincent Lacroix à la fin des années 1990. Le comptable de La Prairie est devenu le « vérificateur externe » d'un grand nombre de sociétés du Groupe Norbourg. Il approuvera, dès 2001, des états financiers « truqués ». Il fera ce travail jusqu'en 2004. Il était alors associé au sein de la firme comptable Beaulieu Deschambault.

Il a été démontré que Deschambault vérifiait les « livres » sans pièces justificatives. Il travaillait sur le coin de la table et il ne se présentait chez Norbourg qu'une ou deux journées par année, nous apprendra-t-on. Éric Asselin confiera même à Lacroix : « Si Rémi Deschambault se fait vérifier par l'Ordre des comptables agréés, il va être dans le pétrin. » Le vérificateur ne semblait rien vérifier. Il ne se cassait pas la tête. Il mettait son nom sur les documents, en toute hâte, et ceux-ci étaient acheminés aux autorités de régulation. Lacroix était satisfait. Son comptable faisait, dit-on, ce qu'il voulait bien qu'il fasse. Ni plus, ni moins.

Était-il pleinement conscient que son « manque de rigueur » allait causer des dommages considérables aux petits investisseurs des fonds Norbourg et Évolution ? S'était-il laissé endormir par les belles promesses de son « client » Vincent Lacroix ?

Quoi qu'il en soit, avec tous ces « facilitateurs » dans le décor de Norbourg, Vincent Lacroix pouvait contourner les obstacles avec une plus grande aisance. Il ne lui restait plus qu'à jouer avec les… chiffres.

Nous avons parlé des « facilitateurs » mais s'il en est un sur qui les projecteurs seront dirigés dans l'affaire Norbourg, c'est bien Éric Asselin. Il serait plus juste de parler de l'énigmatique Éric Asselin. Le comptable de Beauport avait quitté la CVMQ pour devenir vice-président finances chez Norbourg en mars 2002. Il semblait avoir plusieurs personnalités.

Asselin estimait avoir fait le tour du jardin au sein du gouvernement du Québec en mettant ses talents au profit du ministère du Revenu et ensuite à la CVMQ. Il prendra lui-même les devants pour se faire embaucher par Vincent Lacroix. Il sera l'un des principaux architectes de la structure financière de Norbourg.

Asselin aurait joué un rôle de premier plan dans ce lamentable fiasco financier dont tout le Québec parlera à la fin de l'été 2005. Mais avant que le château de cartes ne s'écroule, Éric Asselin s'était rendu utile à Lacroix et nuisible aux investisseurs.

On ne peut refaire l'histoire, mais sans sa collaboration et ses précieux conseils dans le cadre de l'inspection de la CVMQ menée chez Norbourg en octobre 2002, Lacroix ne serait probablement pas allé très loin. Asselin était un fin stratège financier. L'ex-PDG de Norbourg dira à son sujet qu'il avait « arrangé » les états financiers, permettant de camoufler la provenance des fonds volés. Il aura droit à de jolies compensations pour ce travail bien fait et ses revenus augmenteront considérablement.

Avec Lacroix, ce n'était d'ailleurs pas difficile de négocier des hausses salariales. Le boss n'était pas regardant à la dépense. Après tout, c'était l'argent des investisseurs dont il s'agissait. Pas du sien. Lacroix et sa petite équipe de collaborateurs croiront déjouer les inspecteurs de la CVMQ sur ce qu'on a appelé le « *shift* de nuit », dont nous avons parlé précédemment. Ces collaborateurs passeront des nuits blanches à inscrire des revenus et des dépenses fictives sur plusieurs postes budgétaires de Norbourg et de ses filiales, mais surtout à forger de faux documents, jetant de la poudre aux yeux des inspecteurs. On transférait des montants d'argent puisés dans les filiales de Norbourg pour créer l'impression qu'il s'agissait de « revenus de recherche » réalisés grâce aux activités de la firme de placement. Ces transferts de fonds devenaient des revenus. On inscrivait des montants fictifs sous la rubrique « honoraires de gestion » pour tenter de démontrer que Norbourg tournait à plein régime.

Éric Asselin avait surpris son patron Vincent Lacroix, en février 2005, lorsqu'il l'avait informé de son projet de quitter Norbourg avec l'intention d'aller s'occuper de sa firme de consultation Conformia. Il avait cependat réussi à confondre ses ex-collègues de travail, et Vincent Lacroix lui-même, à l'été 2005, en allant se confesser à la GRC…

Après l'éclatement du scandale, Éric Asselin constatera qu'il a perdu beaucoup d'« amis » parmi les représentants et les employés de la firme de placement.

Mais, comme on l'a vu, Asselin voulait toucher le million en devenant délateur. À la mi-mai 2006, alors que Vincent Lacroix témoigne en cour pour éviter sa mise en faillite par le syndic RSM Richter pour une somme de 36,8 M$, Éric Asselin se dira « frustré » depuis qu'il a fourni des renseignements à la GRC dans l'affaire Norbourg. « Je n'ai aucune reconnaissance pour ce que j'ai fait », se lamentera-t-il.

À défaut de pouvoir monnayer sa confession avec la GRC, il utilisera des chemins sinueux pour dissimuler l'argent touché chez Norbourg avec les fonds des investisseurs.

Asselin faisait des provisions. On aurait dit un écureuil. Mais ce ne sont pas des *peanuts* qu'il cache chez lui, à compter de l'automne 2005, mais plutôt des huards. Beaucoup de dollars ! L'équivalent de 800 000 à 900 000 $, en billets de banque, dormaient dans le sous-sol de sa maison de la rue Harfang, à Beauport. On aurait pu croire que l'ex-vice-président finances chez Norbourg avait perdu totalement confiance dans le système bancaire et financier.

Mais il n'en est rien : Asselin considère simplement que sa maison est l'endroit le plus sécuritaire. Il a, après tout, un système d'alarme relié au poste de police ! Tous ces billets ont été accumulés, dira-t-il, grâce à des transactions « payantes », que ce soit lors de la vente de ses propriétés ou au moyen d'acrobaties hypothécaires.

C'est dans un mouvement de panique qu'Asselin fera des retraits dès le 3 octobre 2005. Norbourg avait été perquisitionné deux mois plus tôt et l'étau se resserrait sur Vincent Lacroix et ses collaborateurs.

« Je voulais contrôler mes choses. Donc, j'ai dit : l'argent, où est-ce qu'il peut être le plus en sécurité ? C'est chez moi », tentera-t-il d'expliquer.

Il décidera donc de sortir l'argent de son compte et de l'entreposer chez lui, bien au frais.

Le 7 octobre 2005, il effectuera plusieurs autres retraits par tranches de 500 $... puis de 10 000 $. Il videra son compte lors de transactions bancaires effectuées le jour et même la nuit. À une occasion, il fera un virement de 120 000 $ dans un de ses comptes avant de retirer l'argent aussitôt.

« Vous étiez occupé ? C'était ça votre job à temps plein, là ? » lui suggérera-t-on en interrogatoire.

« Ben, j'avais pas d'emploi », répondra-t-il.

En octobre 2005, il a chez lui au moins 320 000 $ en liquide.

C'était pour « contrôler mes choses personnellement », dira-t-il textuellement. La vérité, c'est qu'il tentait alors de déjouer ses créanciers. Il voulait faire croire que ses avoirs bancaires avaient fondu.

Or, si on consulte la liste des transactions effectuées par Asselin, on nage en pleine confusion. Il vendra d'abord sa maison de Sainte-Marthe-sur-le-Lac avec un beau profit. Le 16 février 2006, il grèvera sa nouvelle propriété de Beauport d'une hypothèque de 257 384 $ chez ING. Cette bâtisse, sise rue Harfang, est alors libre de toute hypothèque. Asselin avait fait cette acquisition au comptant, le 7 juin 2005, avec sa conjointe, Chantal Thibodeau, grâce à un « don » de son patron Vincent Lacroix. Le jour même, il effectue un retrait de 250 000 $, toujours chez ING ! Il rentre chez lui avec une valise pleine de liasses d'argent.

Asselin est « imaginatif » : il grèvera sa propriété de Beauport d'une hypothèque additionnelle de 60 000 $ en faveur d'André Gagnon, son oncle. « C'était pour payer Revenu Québec (80 000 $) », se défendra-t-il.

Il est toutefois difficile de justifier cet emprunt, compte tenu qu'il a, dans le sous-sol de sa maison, au moins 600 000 $ en espèces.

L'hypothèque à son oncle ne sera jamais remboursée. « Il ne me l'a pas demandé. C'était pas une de ses priorités », répondra-t-il candidement pour expliquer la deuxième hypothèque contractée sur la maison de la rue Harfang.

De janvier 2005 à septembre 2006, Asselin sortira 9 800 $ par mois de ses comptes de banque. Il fera de même avec ses investissements et ses REER.

« Quand vous voyez comment je fonctionnais, je fonctionnais en argent comptant », se justifiera-t-il.

Pour meubler sa maison en banlieue de Québec, Asselin consacrera un modeste budget de 41 000 $. Il achètera en juin 2006 des sofas en cuir, un divan, une table en bois avec six chaises, un buffet et une huche en bois.

Mais Asselin n'a pas que des valeurs matérielles. Il peut aussi encourager des amis par des « prêts ». Il prétend avoir le cœur sur la main, même s'il n'a pas d'emploi et une famille à nourrir. Il soutient avoir donné un coup de pouce à son frère, apparemment fauché, qui se proposait d'aller travailler dans l'Ouest canadien. Or, lors d'un récent procès, à l'hiver 2009, visant la libération d'Asselin de sa faillite, son frère viendra témoigner que c'est sa mère, et non pas Éric Asselin, qui lui avait avancé de l'argent.

Asselin fera un autre « prêt » de 30 000 $ à un ami, Dave Leclerc, pour l'aider à lancer une agence de joueurs de hockey. Le projet consiste à recruter des jeunes hockeyeurs, à partir des rangs pee-wee jusqu'au niveau bantam.

« Quand je travaillais chez Norbourg, j'avais déjà rencontré le frère de Vincent Lecavalier [le joueur vedette du Lightning de Tampa Bay] qui avait parti, justement, une agence de joueurs comme ça », expliquera-t-il pour justifier son étonnante implication dans le monde du sport.

Asselin ne voulait cependant pas voir son nom associé au projet sportif. On peut deviner qu'il avait tout intérêt à se faire discret.

« J'étais comme en *background* », dira-t-il sans s'étendre davantage.

Les hockeyeurs ne sauteront finalement pas sur la patinoire et l'agence ne verra pas le jour. Le projet de son ami Dave Leclerc tombera à l'eau et un syndic de faillite « se mettra sur son cas ». Envolés, les quelques dizaines de milliers de dollars qu'Asselin avait « prêtés » à son ami.

Fait à signaler, ce même Dave Leclerc vendra en 2009, pour la somme nominale de 1 $, un luxueux VUS de marque Lexus, d'une valeur de 45 000 $, au frère d'Éric Asselin. Or, l'utilisateur de ce véhicule était… Éric Asselin. Faut-il comprendre que le « vieux prêt » de 30 000 $ pour l'agence de hockey aurait été remboursé entre-temps ?

À vrai dire, l'ex-enquêteur de la CVMQ ne scorait pas à tout coup. En plus de consentir des prêts gratuits, il avait du mal à se trouver un emploi pour reprendre une vie active. Il confiera avoir remarqué une certaine réticence de la part d'employeurs potentiels après ses témoignages hautement médiatisés dans l'affaire Norbourg.

Au printemps 2006, quoi qu'il en soit, il fera de la comptabilité à 30 $ l'heure dans une entreprise de télécommunications. Il dira avoir déniché cet emploi grâce à un heureux concours de circonstances, en faisant son épicerie à Beauport.

Asselin ne sera pas uniquement un employé, il sera aussi un actionnaire qui injectera 50 000 $ dans l'entreprise. Ce montant aurait servi à acheter des camions. Mais la guigne s'acharnera sur l'ex-bras droit de Vincent Lacroix. Sans contrat d'emploi, il prétendra avoir travaillé plus de 2 000 heures pour lesquelles il n'aurait pas été rémunéré. Pire encore : son patron ne sera pas en mesure de lui restituer les 50 000 $ investis, sous prétexte que « ça ferait mourir les compagnies ».

Visiblement, ça va mal dans la vie du délateur de Beauport. « Il est arrivé tellement de choses dans ma vie, dans ce court laps de temps », dira Asselin.

Et les questions posées avec insistance par le syndic RSM Richter lui feront perdre pied à plusieurs reprises. « Si je n'ai pas réussi à vous convaincre, moi, j'en ai jusque-là, mais mettez-moi en faillite ! Moi, là, ça a assez duré, là, puis si ça marche pas, tout à l'heure avec mon syndic, je vais signer la cession puis ça va finir là », lancera-t-il, hors de lui.

Il ajoutera, sans décolérer : « Je suis assez écœuré, là. Je veux dire, ma famille est écœurée, ça me gruge de l'énergie. Je sais que je vais perdre mon titre, je le perdrai de toute façon. Je suis tanné. Je sais que c'est pas votre problème, c'était à moi à me justifier amplement. Mais moi quand je regarde mon bas de laine, je le sais combien qu'il en reste, puis il en reste qu'est-ce que j'ai déclaré. Vous êtes pas content[35]? »

Or, malgré ces revers de fortune, Asselin refusera de renoncer à son train de vie. Il affirmera avoir besoin de 100 000 $ par année pour vivre et payer l'épicerie.

Un « maniganceux » de première classe, Éric Asselin? Un grand manipulateur, diront à son sujet ceux qui ont travaillé à ses côtés chez Norbourg. « Il savait tirer les ficelles à son avantage et il était motivé par l'appât du gain », dira un de ses ex-collègues.

La réalité allait finir par le rattraper, et c'est à la fin juillet 2009, en pleines vacances de la construction, que des huissiers munis d'un mandat délivré par la Cour supérieure se présenteront chez les Asselin, à Beauport, et découvriront que l'ex-bras droit de Vincent Lacroix cachait plus de 115 000 $ en argent liquide, notamment dans des sacs de plastique sur lesquels se trouvaient des traces de terre noire. Comme si ces sacs avaient auparavant été enterrés…

Asselin aurait joué aux paysagistes en enfouissant ces sacs remplis de dollars dans la cour arrière de sa maison. On apprendra que le terrain de l'ex-vice-président finances chez Norbourg avait été « retourné », en cet été 2009, et que des morceaux de tourbe avaient été remplacés. Les huissiers se présenteront chez la mère d'Asselin, à Beauport, et à la succursale de la Banque Royale, également à Beauport, pour mettre la main sur une partie des 115 000 $ dissimulés dans un coffret de sûreté. Une Lexus d'une valeur de 45 000 $ et un jacuzzi [!] seront par ailleurs saisis par les huissiers au cours de cette perquisition.

Ces biens avaient tous été acquis au moment où Asselin, semble-t-il, s'inquiétait de savoir s'il possédait les ressources financières pour nourir sa famille.

Manifestement, Éric Asselin cherchait encore à dissimuler des sommes d'argent, pour les soustraire à ses créanciers et indirectement aux investisseurs floués. Pourtant, au cours des premiers mois de l'hiver 2009, il fera des démarches pour se libérer de sa faillite, une demande qui fera l'objet d'une vive opposition de la part de ses créan-

---

35. Éric Asselin a été mis en faillite en 2006.

ciers. Il déclarera alors qu'il n'arrive pas à « joindre les deux bouts » et qu'il ne dispose pas de liquidités pour mener une vie sans tracas…

Cependant, la découverte des sacs de plastique remplis de l'argent des investisseurs, selon toute vraisemblance, choquera les investisseurs floués chez Norbourg.

Il y avait déjà toute cette colère dirigée sur Vincent Lacroix. Certains commencent à se demander s'il n'aurait pas fallu mettre Éric Asselin en taule lui aussi…

Michel Fragasso aura été l'initiateur de l'aventure Capital Teraxis au sein de la Caisse de dépôt et placement du Québec. Il présentera sa vision et les stratégies qu'il souhaite développer au sein de cette « nouvelle entreprise québécoise dans le secteur des fonds d'investissement », dans un document « confidentiel » daté du 12 mai 1998. Fragasso est alors à la tête du Conseil des fonds d'investissement du Québec (CFIQ) et Serge Rémillard est président de Services financiers CDPQ, la filiale de la Caisse de dépôt et placement du Québec.

Fragasso monte un projet clé en main en vue du lancement de Capital Teraxis, qu'il perçoit déjà comme un puissant outil pour développer à grande vitesse le marché prometteur des fonds communs de placement. Le document de mai 1998 est étoffé et présente des scénarios optimistes. Il est question de créer une force de frappe au Québec dans ce secteur. Capital Teraxis interviendra sur tous les aspects : la filiale de Services financiers CDPQ agira à titre de « manufacturier » de fonds communs, de promoteur de ces fonds, et misera sur un solide réseau de distribution pour séduire la clientèle québécoise.

Capital Teraxis vendra ainsi des fonds communs fabriqués par des firmes d'investissement établies dans le marché. Les fonds Évolution feront partie de l'offre proposée aux épargnants-investisseurs québécois. Teraxis jouera la corde sensible du placement « *made in* Québec » et son réseau de représentants tentera de stimuler la vente des fonds Évolution.

Toutefois, en dépit de sa bonne volonté, Michel Fragasso ne parviendra pas à atteindre les objectifs fixés par la Caisse. Les débuts seront prometteurs. Mais ce ne sera pas suffisant. Capital Teraxis commencera à battre de l'aile. Dans l'industrie, certains parleront de Teraxis comme d'un « canard boiteux », ce que le principal intéressé tiendra à rectifier.

« On n'était pas un canard boiteux. On était plutôt des champions », se défendra Michel Fragasso dans une rare entrevue qu'il nous accordera le 23 août 2009. Il ajoutera que Capital Teraxis ne perdait pas autant d'argent que certains l'avaient alors laissé entendre.

« On perdait 1,5 M$ par année, ce qui était bien peu comparé aux pertes encaissées par un autre réseau de distribution appartenant à la Caisse, Partenaires Cartier[36], qui avait accusé des pertes de 12 M$ en 2001 et de 8 M$ en 2002. On ne faisait pas si mal chez Teraxis, au contraire », insistera encore Michel Fragasso. Il faut croire que la Caisse n'avait pas la même vision des choses.

Il s'explique encore mal, aujourd'hui, les circonstances qui ont amené la Caisse à céder Capital Teraxis et Fonds Évolution à Vincent Lacroix. Il ne cache pas que cet épisode a fait basculer sa carrière à compter de l'automne 2003. Michel Fragasso a encore en travers de la gorge la manière dont la Caisse l'aurait traité dans le dossier de la vente de Norbourg.

Le 28 novembre 2003, alors que Vincent Lacroix multipliait ses rencontres avec le patron de Capital Teraxis, la Caisse prendra une décision pour le moins radicale. En plein sprint de négociations en vue de la transaction avec Norbourg, début décembre, la Caisse confiera à Marie Desroches[37] l'important mandat de vente des fonds Évolution et de Capital Teraxis.

« On m'a relevé de mes fonctions et on a mis à ma place Marie Desroches. Quand je l'ai vue arriver, j'ai compris que mon avenir n'était plus chez Capital Teraxis. Je venais de passer de PDG à président tout court. Marie Desroches arrivait chez Teraxis et on la nommait directrice générale », racontera Michel Fragasso.

Marie Desroches était connue dans le milieu de la finance pour avoir été présidente de Fonds Évolution pendant trois ans. Elle avait vendu à Capital Teraxis en 2001. Sa nomination sera interprétée comme une façon de dire à Fragasso qu'il ne finalisera pas la transaction.

Elle sera envoyée dans la mêlée pour «faire accélérer le dossier de vente» et discutera principalement avec Éric Asselin, à qui elle demandera de lui fournir des documents en vue de la transaction qui

---

36. Partenaires Cartier a été vendu à la firme Dundee.

37. Marie Desroches occupe un poste de direction à Valeurs mobilières Desjardins.

s'annonçait. Cette gestionnaire jouissant de la pleine confiance de la Caisse n'aura pas des rapports des plus amicaux avec Vincent Lacroix.

Le président de Norbourg et Marie Desroches n'étaient pas des amis avant que ne s'amorcent les négociations et Vincent Lacroix ne fera rien pour harmoniser ses relations avec la gestionnaire. Une fois, après un lunch qui s'était prolongé, Lacroix se présentera avec une heure de retard à une importante réunion demandée par Marie Desroches pour régler un dossier touchant l'avenir de certains employés de Teraxis.

Pendant ce temps, Michel Fragasso avait du mal à cacher sa frustration d'avoir été «tassé» par ses patrons, mis sur la voie de garage au moment où la Caisse cherchait à sortir du marché des produits financiers.

Craignait-on que Michel Fragasso ne parvienne pas à vendre Fonds Évolution et Capital Teraxis dans les délais prescrits par la Caisse?

Dans les mois précédant sa rétrogradation, il s'était impliqué activement dans le projet de Coopérative des représentants de Capital Teraxis, participant à des réunions le 24 septembre et le 30 octobre pour mettre en place une structure organisationnelle. Le 20 novembre, il sera présent à Drummondville pour la création d'un exécutif.

« C'était une course contre la montre. Tout cela se passait en même temps que Vincent Lacroix tentait d'acheter Capital Teraxis et Fonds Évolution. La Caisse poussait fort pour que Lacroix achète, mais moi je privilégiais le projet de la Coopérative des représentants, qui me semblait viable et qui m'aurait permis de demeurer en poste », expliquera Michel Fragasso.

Les événements ont par la suite semblé se bousculer dans la vie du PDG de Teraxis. Le 4 décembre 2003, Michel Fragasso annoncera son intention de faire le saut en politique sous les couleurs du Parti libéral du Canada, avec l'équipe de Paul Martin. Il obtiendra un congé sans solde de Capital Teraxis pour mener sa campagne électorale. Il fendra l'air, cependant, contre la conservatrice Josée Verner dans la circonscription Louis-Saint-Laurent, près de Québec, lors du scrutin de juin 2004.

Le politicien battu – et visiblement abattu – verra Vincent Lacroix lui tendre une perche à la fin de l'été. Ce dernier lui offrira un emploi au sein de Norbourg. L'embauche de Fragasso se fera dans un contexte où Norbourg traverse une période difficile, à la suite de la publication dans le journal *Finance et Investissement* du dossier-choc sur le mystère Norbourg.

Fragasso dira à Lacroix, vers la fin août 2004, qu'il « connaissait un peu les mauvaises langues autour de Norbourg » et qu'il était prêt à mettre son expérience au service de la firme de placement.

C'est à cette époque qu'il suggérera à Lacroix le nom d'un bon fiscaliste qu'il connaît afin de préparer la fameuse « divulgation volontaire ». Michel Fragasso sera finalement nommé président du conseil d'administration de Fonds Évolution avec un salaire annuel de 120 000 $.

Est-il bêtement tombé dans le piège que lui a tendu Vincent Lacroix en l'intégrant dans son équipe et en lui accordant un traitement salarial et monétaire qui feront sourciller des investisseurs floués ? A-t-il plutôt servi de « caution morale » à Vincent Lacroix ? Cela expliquerait-il le fait que le président de Norbourg lui ait demandé de demeurer en poste, après la vente de Capital Teraxis ?

Le versement d'un « boni de signature » de plus de 150 000 $, en mars 2004, a soulevé des interrogations. Lacroix dira lui avoir versé ce chèque en puisant dans le « compte fantôme » de la Caisse populaire de La Prairie, prétendument parce que Fragasso avait « des problèmes financiers » et qu'il « voyait des dépenses importantes arriver pour la campagne électorale ». Un autre chèque de 150 000 $ sera émis à l'ordre de Fragesco, la firme de Michel Fragasso, en 2005, pour du travail effectué chez Norbourg.

Lacroix révélera avoir aidé à la campagne électorale du candidat libéral Michel Fragasso par des contributions de plusieurs milliers de dollars. Des contributions « politiques » de 5 000 $ seront faites par Lacroix, sa conjointe, Sylvie Giguère, ainsi que par Serge Beugré, le stratège de chez Norbourg, tout cela dans le but de supporter le politicien Fragasso, au dire du président de Norbourg.

« On le supportait financièrement durant ses élections, de façon significative », dira Lacroix au sujet de l'aide financière apportée à Fragasso pendant la campagne 2004.

Fragasso ne fait pas partie des accusés dans l'affaire Norbourg. Il en a subi les contrecoups, c'est évident, et sa carrière professionnelle en aura beaucoup souffert.

A-t-il été victime de sa grande naïveté? Dans les jours suivant les perquisitions chez Norbourg, fin août 2005, Michel Fragasso s'étonnera que des irrégularités aient pu se produire au sein de la firme de placement montréalaise. « Il y avait trois vérifications : une vérification des Fonds Évolution, une des Fonds Norbourg et une de l'ensemble de la société », expliquera-t-il.

Il ajoutera que « la présence de Jean Hébert », celui qui a remplacé Éric Asselin, « constituait pour moi une police d'assurance ». Il fera une autre révélation qui laissera songeur à propos de la vente de Capital Teraxis à Vincent Lacroix. Il dira que « pour diverses raisons, la Caisse était pressée de vendre » et que, conséquemment, « le prix [payé par Lacroix] était en dessous du marché ». C'était en septembre 2005.

Vincent Lacroix dira pour sa part que cette transaction de 10,3 M$ avec la Caisse de dépôt et placement du Québec, « ça a été une grande erreur ».

Vous avez bien lu : avec le recul, le président de Norbourg affirmera, sans rire, qu'il n'aurait jamais dû acheter Teraxis et Évolution.

« Je réalise aujourd'hui qu'il n'y en avait pas d'acheteur, qu'on était les seuls acheteurs pour le réseau Teraxis et les fonds [Évolution] », estimera-t-il.

Le président déchu aurait calculé, et il en était « persuadé », qu'il manquait une dizaine de millions dans les Fonds Évolution lorsqu'il en a pris véritablement possession dans les mois suivant l'acquisition du 19 décembre 2003. Il admettra également que son équipe souffrait d'« un manque d'expérience ».

« Si, à l'époque, nous avions eu l'expérience, on aurait immédiatement vu certaines lacunes majeures [...] », tentera-t-il d'expliquer.

Lacroix n'en démordra pas. Selon lui, la Caisse lui aurait passé un sapin. Chaque fois qu'il en aura l'opportunité, il prétendra que ses « problèmes » ont débuté après l'acquisition de ces deux entités (Teraxis et Évolution). Comme s'il avait acheté une minoune chez un vendeurs d'autos usagées...

De son côté, Michel Fragasso, quatre ans après l'éclatement du scandale Norbourg, maintient que toute cette histoire de fraude aurait pu être évitée.

« Moi, je n'aurais pas voulu qu'on vende à Vincent Lacroix », nous confiera-t-il, sans s'expliquer davantage sur les motivations de ses anciens patrons à la Caisse.

Nous avons parlé des « facilitateurs ». Nous avons analysé le comportement des complices et des témoins. Nous devons aussi saluer l'intervention du directeur général de la Caisse populaire de La Prairie, Denis Sénécal. Ce dernier s'était sérieusement questionné sur l'ampleur des sommes d'argent déposées, puis retirées, dans un compte par lequel transitaient les millions de dollars de petits investisseurs. Vincent Lacroix se servait de ce compte « tampon » à des fins personnelles.

C'est en janvier 2004 que Denis Sénécal fera part de ses « inquiétudes » au contrôleur Jean Cholette à propos de ce compte qui posait problème. Cholette, à l'époque, effectuait les dépôts et les transferts dans ce compte.

« Ça lui faisait peur. Il voyait un 500 000 $ rentrer puis, une journée ou deux après, il voyait un 130 000 $ partir. Ça l'énervait. C'était comme ça depuis un an et demi », racontera Cholette[38].

Le directeur général de la Caisse craignait que le compte (fantôme) « tourne mal, qu'il y ait des chèques qui rebondissent ». Au téléphone, Denis Sénécal dira à Cholette : « Si tu veux qu'il y ait d'autres virements qui soient faits, je veux [désormais] qu'ils me soient confirmés par courriel. »

Denis Sénécal jugeait alors que son client devenait beaucoup trop délinquant. Il n'était pas le seul à douter. Au printemps 2004, lorsqu'il recevra un appel du siège social (Sécurité Desjardins), il aura une autre bonne raison de se dissocier de Vincent Lacroix.

« On m'a dit que l'argent qu'il [Lacroix] faisait passer par le compte de La Prairie se rendait ensuite jusque dans son compte personnel

---

38. Le contrôleur Jean Cholette a été mis en failllite en mars 2006.

à la Banque Nationale », racontera le directeur général, en poste depuis 1998[39].

Le directeur général ne se posera plus de questions. Il agira. « Nous n'avions pas intérêt à ce que la Caisse soit associée à un compte problématique », dira-t-il deux ans plus tard.

Denis Sénécal demandera au vérificateur, Rémi Deschambault, qui siégeait alors au conseil d'administration de la Caisse, d'envoyer un message sans équivoque au contrôleur Cholette : « Il faut que tu fermes les comptes. »

Le compte sera fermé en avril 2004. Vincent Lacroix recevra une lettre par courrier prioritaire de l'institution financière. On lui donnera dix jours pour mettre fin à toutes ses opérations bancaires à la Caisse populaire de La Prairie.

« Le directeur [Sénécal] était nerveux par rapport aux montants qui circulaient à l'intérieur de ce compte-là, et non sur la provenance des fonds », prétendra l'ex-PDG.

Lacroix voudra ainsi laisser croire que la Caisse populaire n'aurait jamais fermé les comptes de Norbourg, n'eût été l'intervention du siège social.

Les comptes de Norbourg seront transférés à la Banque Royale du Canada. Mais pas pour très longtemps. La première banque canadienne chassera à son tour Norbourg de sa succursale à l'été 2004, après un « incident » provoqué, bien involontairement, par le comptable Deschambault. Ce dernier avait tout fait basculer en voulant encaisser précipitamment un important chèque de 1,4 M$ pour la vente de son immeuble, à La Prairie, en juin 2004. Le chèque pour cette transaction immobilière lui avait été fait par une filiale de Norbourg, mais il n'y avait pas suffisamment de fonds dans ce compte. Lacroix et Asselin lui avaient pourtant donné des instructions claires. Deschambault devait attendre que les fonds soient transférés dans le compte en question, à la Banque Royale. Mais dans sa hâte à toucher le million, le comptable avait voulu encaisser son chèque. L'insuffisance de fonds incommodera la Banque Royale et donnera lieu à un froid avec ce client désordonné.

---

39. Le directeur général de la Caisse populaire de La Prairie, Denis Sénécal, a témoigné au procès de Vincent Lacroix à l'automne 2007.

La banque enverra une lettre à Vincent Lacroix, l'enjoignant de clore tous ses comptes. C'en était terminé pour le président de Norbourg. Terminé, le traitement « royal ». La banque avait réagi promptement après avoir constaté ces faits inquiétants. Dès lors, les comptes seront transférés dans une autre banque. Norbourg tentera de faire son lit à la Banque de Montréal.

En juillet 2005, un mois avant les perquisitions du 25 août, Vincent Lacroix remettra les pieds à la Caisse populaire de La Prairie afin d'y rencontrer le directeur général, Denis Sénécal. Il ne s'agira pas d'une visite de courtoisie : Lacroix sera accueilli plutôt froidement. Le PDG de Norbourg se savait piégé. Il voulait « revoir des transactions opérées dans le passé » et voilà pourquoi il s'était pointé à la Caisse populaire. Cette quête d'informations se révélera infructueuse.

Puisque nous y sommes, attardons-nous sur le cas du comptable Rémi Deschambault. À vrai dire, si le comptable a réussi à vendre son immeuble de La Prairie à très bon prix en juin 2004 à une filiale de Norbourg, c'est parce qu'il a « fait le travail » pendant des années.

Il a vérifié les états financiers sur le coin de la table, les yeux fermés. Il ne prenait pas le temps de scruter les documents qui lui arrivaient à la dernière minute, parfois deux à trois semaines avant la date limite prévue pour le dépôt des états financiers aux autorités. Deschambault retournait ces documents validés avec son en-tête de vérificateur.

Il était accommodant, il ne cherchait pas, de l'aveu même de son client, Vincent Lacroix, la source ou le type de revenus qui entraient ou sortaient des comptes. Il n'avait pas de temps à perdre à réclamer des pièces justificatives.

Voyons la subtile analyse du président de Norbourg à propos des « talents » du modeste comptable.

« … M. Deschambault, sincèrement, je ne crois pas qu'il a compris les opérations de Norbourg. Donc, quand même qu'il aurait voulu vérifier, ça aurait été facile à endormir. Donc, M. Deschambault prenait vraiment ce que M. Asselin lui donnait comme dossier, et puis comme vous l'avez mentionné précédemment, retournait, finalement, " étampé " si on veut, avec le dossier du vérificateur mais qui était la copie conforme de ce que M. Asselin lui avait donné. »

Norbourg n'a jamais eu à se casser la tête pour déjouer le vérificateur; il était acquis – et admis – qu'il n'exigerait pas qu'on lui fournisse les documents. C'était de la gestion à la petite semaine et le patron montrait l'exemple. Pourquoi perdre du temps à compiler des documents quand on est à la tête d'un petit empire bâti sur du vent et des promesses?

La vérification se faisait dans les locaux de Norbourg, et parfois même dans les bureaux du comptable, à La Prairie. Il demandait des honoraires peu élevés et on ne le voyait que très rarement dans les murs de l'entreprise.

Deschambault[40] n'avait pas l'envergure pour mener des dossiers complexes, au dire même de Vincent Lacroix. Cela explique pourquoi Norbourg embauchera le 30 septembre 2004 Martin Takatsi pour réaliser le mandat de restructuration des opérations comptables. Takatsi, qui était comptable chez Beaulieu Deschambault, a donc été embauché pour « faire le ménage » et pour clarifier des éléments du « cycle comptable » dans les réseaux de distribution de Norbourg et dans Gestion du patrimoine Tandem.

Il avait, dit-on, l'expertise que Deschambault ne possédait pas. Il était « beaucoup plus vigilant ». En d'autres termes, ça « réconfortait » Lacroix de pouvoir le compter dans ses rangs, d'autant plus que l'Autorité des marchés financiers rôdait.

« On avait beaucoup plus confiance en M. Takatsi, pour le type de consultation qu'on cherchait, dans l'environnement d'une enquête de l'AMF, qu'en M. Deschambault, en tant que tel », dira Lacroix avec la grande délicatesse qu'on lui connaît.

À cette époque, même Éric Asselin avait avoué qu'il était « déboussolé » par l'ampleur de l'intégration observée au sein des réseaux de distribution de Norbourg. Cela n'avait pas empêché Rémi Deschambault, dont les compétences étaient pourtant mises en doute par Lacroix, de remplir certains de ces mandats. Il créera et fermera des sociétés associées à Norbourg, entre autres la filiale Quatro Capital.

Étonnamment, ces mandats ne sembleront pas lui donner de fil à retordre. Il faut reconnaître que c'était à son avantage. Nous étions en juin 2004. Quatro Capital avait acquis la totalité du capital-actions de la société 9137-3811 Québec inc., dont l'actionnaire était... Rémi Deschambault. Cette société à numéros était propriétaire de l'immeuble situé à La Prairie qui sera acheté par Norbourg pour la somme de 1,4 M$!

---

40. Le comptable Rémi Deschambault terminera son dernier mandat de vérification chez Norbourg le 30 juin 2004.

C'étaient des « points importants pour sa retraite », dira Lacroix après coup, toujours aussi généreux avec l'argent des investisseurs. Lacroix prétendait que Deschambault avait travaillé très fort pour Norbourg, et le comptable souhaitait qu'on en tienne compte.

« Il voulait obtenir un prix qui était non seulement la valeur marchande de l'immeuble, mais qui allait au-delà de ça », finira par admettre Lacroix.

Sans aucune surprise, cet immeuble a été « très bien vendu ». C'était un beau cadeau. Comment Deschambault aurait-il pu refuser pareille offre ? Mais il faut reconnaître que le comptable de La Prairie « méritait » d'être récompensé par le président de Norbourg. Après tout, il était parfait dans son rôle de « facilitateur ».

« Il n'a jamais mis, supposons, le poing sur la table, pour dire : " je veux 1,4 M$ pour tout ce qui a été couvert dans Norbourg " », rapportera Lacroix.

L'immeuble avait été payé 352 000 $ en février 2000. Il était évalué à un peu plus de 500 000 $. La vente a été complétée sans aucune inspection du bâtiment, qu'on disait pourtant « classé historique ». On ne cherchait visiblement pas à savoir s'il existait des vices cachés.

Deschambault cessera de « travailler » pour le compte de Norbourg en juin 2004, à la suite de la vérification des états financiers.

L'affaire Norbourg sera mitée par de nombreuses histoires de camouflage. Mais, tôt ou tard, les fraudeurs seront débusqués. C'est ainsi que les collaborateurs de Lacroix seront mis en faillite, un peu plus d'un an après les perquisitions du 25 août 2005[41].

Le 11 octobre 2006, Serge Beugré, l'ex-stratège de Norbourg, a déposé son bilan. Dans sa poursuite, le syndic RSM Richter lui réclamait plus de 600 000 $. Ces montants auraient été touchés sans « considérations valables » et ne seraient « pas justifiés ». Le document a été transmis au Bureau du surintendant des faillites du Canada. Dans la cession de ses biens qu'il avait présentée, Beugré prétendait détenir un actif de 60 908 $ et un passif de 167 602 $.

« On peut laisser les petits investisseurs tirer leurs propres conclusions. Il faut se demander où est l'argent », se questionnera le syndic de la firme RSM Richter, Gilles Robillard.

Cette question de plusieurs centaines de milliers de dollars s'applique à l'ensemble des complices de Vincent Lacroix. Jean Cholette, ex-contrôleur chez Norbourg, en est un autre qui a été poursuivi et mis en faillite, à l'hiver 2006. Dans son cas, les montants qu'il aurait touchés sans justification s'élèveraient à 320 000 $. En juillet 2005, il avait reçu un « coup de main » de 150 000 $, sous forme de don de la part de son patron pour l'achat de sa maison.

David Simoneau, responsable du *back office* et cousin de Lacroix, a devancé les réclamations du syndic et du fisc en s'empressant de faire faillite dès l'apparition des premiers nuages noirs. Il avait quitté

---

41. Donald Lacroix, le père de Vincent, que nous n'avons pas identifié comme un « collaborateur », a lui aussi déclaré faillite, en août 2006, sa deuxième en 25 ans. Il avait le contrat de publicité de Norbourg.

Norbourg en juin 2005, prétendant trouver son emploi trop routinier et vouloir passer à autre chose.

« J'ai un Secondaire 5, dira-t-il le 21 février 2006. J'ai pas vraiment tripé sur l'école, ça fait que moi, dans un bureau, je me plaisais plus ou moins. Puis mon père, il a démarré un restaurant, il y a environ trois ans, et puis il m'offrait souvent d'aller travailler pour lui dans le restaurant, et c'est ce que j'ai fait. »

Éric Asselin, l'ex-vice-président finances, a lui aussi dû faire face à une poursuite du syndic RSM Richter en vue du recouvrement d'environ 900 000 $. En dépit de la valeur élevée de ses actifs – qui avaient été mis à l'abri de ses créanciers – Asselin a préféré faire faillite, en 2007, plutôt que de remettre l'argent appartenant aux investisseurs.

Félicien Souka, l'informaticien, a fait face à une poursuite, le 21 février 2006, visant à récupérer 257 500 $. Le syndic soutenait alors que « Félicien Souka a participé activement aux malversations financières importantes qui ont eu cours au sein de Groupe Norbourg et au maquillage comptable que cela devait impliquer ».

Le syndic ajoutait que les généreuses sommes empochées par Souka, lorsqu'il travaillait chez Norbourg, « devaient aussi manifestement constituer une partie du prix du silence ». On ignorait alors que l'informaticien allait plus tard sortir un lapin de son chapeau.

Mais la cerise sur le sundae, c'est incontestablement Vincent Lacroix. Le financier déchu sera lui aussi mis en faillite à l'automne 2006 à la suite de procédures judiciaires intentées par ses créanciers. En plus des dettes fiscales totalisant 22,4 M$, le syndic lui réclamait plus de 36 M$ pour des sommes qu'il aurait empochées, et qui auraient servi à acheter des biens personnels ainsi qu'un important bloc d'actions dans Ressources Dianor (7,8 M$).

L'étau s'est resserré sur lui au fur et à mesure que le syndic accumulait des preuves sur les détournements de fonds dont il s'est rendu coupable durant son règne chez Norbourg.

Si ces faillites en série étaient prévisibles, les actions qu'allaient entreprendre Félicien Souka l'étaient beaucoup moins. Culotté, l'informaticien de Norbourg engagera une poursuite de 2,7 M$, à l'hiver 2009, en dommages et en pertes de revenus, contre son ancien patron. Souka soutenait alors être une victime du scandale.

Mais ses chances de gagner contre Lacroix étaient minimes, voire nulles, si l'on en croit les propos du juge de la Cour supérieure, Robert Mongeon, dans une décision rendue le 21 janvier 2009. Ce dernier avait émis de sérieux doutes quant à l'issue de la poursuite.

« Non seulement Souka ne sera vraisemblablement pas capable de récupérer quoi que ce soit de l'actif de Lacroix, mais plus encore, il semble que le but recherché est [davantage] de démontrer qu'il n'est pas responsable – ou qu'il n'est pas le seul responsable – des déboires du groupe Norbourg », avait dit le juge.

Qu'importe, Souka aura apporté une contribution non négligeable au sein de Norbourg. L'informaticien avait été recruté à l'invitation d'un ami, Serge Beugré, alors vice-président chez Norbourg Services financiers. Il a même monté le site Internet de Beugré – Ivoire Finance.com.

Souka s'était pointé chez Norbourg pour régler des « problèmes ». Son travail, de toute évidence, avait été très apprécié. Devant le syndic, lors de son interrogatoire, en octobre 2006, il avouera qu'il n'avait aucune expérience de la gestion et de la comptabilisation des fonds mutuels.

« Mes connaissances étaient très, très, très limitées dans le domaine des fonds mutuels », dira-t-il.

Il avait mis en place le logiciel Octan qui permettait aux représentants de procéder aux ouvertures de comptes et d'enregistrer les informations sur les clients, ainsi que les informations relatives aux dépôts. Il a d'abord travaillé au centre-ville, chez Norbourg, puis il a déménagé au bureau de la filiale Nortek, au 114, Saint-Georges, à La Prairie. Il se retrouvera plus tard, en janvier 2004, au 69, avenue Jacques, à Candiac, dans une maison achetée par Lacroix qui servait exclusivement de bureau de travail pour Souka, loin des regards indiscrets.

Souka justifiera ce déménagement à Candiac par le fait que l'équipe centrale de Nortek prenait de l'expansion. Il devait, paraît-il, libérer la place. À vrai dire, il était temps que Souka quitte le 114, Saint-Georges. Autour de lui, des employés de la filiale Nortek le trouvaient « étrange » et le directeur de la filiale, Pierre Mercier, « soupçonnait certaines choses », dira encore Lacroix.

Il travaillera sur l'avenue Jacques avec le programmeur Onora Nembé, puis avec Jocelyn Bernier et Minh Triet NGuyen. Il avait reçu pour mandat de recueillir tous les rapports de Northern Trust pour faire un « reverse engineering ». En d'autres termes, il devait mettre sous logiciel les informations de Northern Trust et permettre plus tard à Norbourg d'implanter sa propre unité de garde de valeurs. Souka a eu, pour ce faire, accès aux états de comptes de Northern Trust.

Or, il y a eu des écarts considérables – des écarts incompréhensibles, rappelons-le – entre les états de comptes du gardien de valeurs et ceux contenus dans le rapport Octan. Par exemple, pour le Fonds Évolution Marché monétaire, selon le rapport Octan, la valeur affichée était de 2,7 M$, tandis que le rapport de Northern Trust montrait un montant de seulement 9 500 $. Un autre exemple : dans le Fonds Évolution équilibré, selon le rapport Octan, il y aurait eu 13 M$; selon le rapport Northern Trust, c'était plutôt déficitaire de 35 000 $.

« J'ai jamais posé de questions sur les écarts que j'ai constatés », s'est-il toujours défendu. Mais les résultats ne concordaient pas. Souka prétendra, par ailleurs, que concernant la fabrication de faux documents, une activité à laquelle il a participé avec le groupe de collaborateurs de Norbourg, il ne pouvait pas savoir si c'étaient des vrais ou des faux.

Il rappellera que David Simoneau avait la responsabilité de « sortir » les rapports Octan chez Norbourg. A-t-il conservé des liens amicaux avec Lacroix après le 25 août 2005 ?

« Quand j'ai vu comment, la tournure que prenaient les choses, je me suis dissocié. On ne se parle plus », dira-t-il[42].

Mais si Souka avait coupé les ponts avec Lacroix, qu'en était-il de son ami Serge Beugré ? Où était donc passée la belle solidarité d'antan ?

---

42. Au cours des mois suivant les perquisitions chez Norbourg, Vincent Lacroix avait critiqué d'anciens collaborateurs. « J'ai été victime de l'incompétence au sein de mon entreprise et de la malhonnêteté des institutions financières qui ont transigé avec moi », nous avait-il confié le 19 mai 2006.

Serge Beugré a souffert, pour sa part, de fréquents trous de mémoire après son séjour chez Norbourg. Il a pourtant joué un rôle-clé au sein de la firme de placement. On l'a vu signer une série de conventions de gestion privée impliquant de prétendus clients du Groupe Norbourg pour donner l'impression que la firme de placement générait de nouveaux revenus. Cela comportait des formulaires d'ouverture de compte, une convention de gestion et une convention de garde des valeurs.

Beugré ne sera pas le seul à signer ces faux documents. Les noms de Félicien Souka, Ousmane Konare, Virginie Souka, Jean-François Pilon, Éric Asselin, Alain Dussault, Jean Cholette, David Simoneau, Kathleen Renous et Vincent Lacroix y apparaissaient.

Souvenons-nous de la panique chez Norbourg quand la CVMQ, en octobre 2002, avait demandé à voir des documents, entre autres les rapports de Northern Trust. Cela avait amené la création de faux rapports avec l'aide de l'informaticien Félicien Souka.

« Vous vous souvenez de ça ? » a demandé à Serge Beugré le syndic aux sociétés Norbourg[43].

« Absolument faux. Moi, j'ai rien signé », s'est-il défendu. Beugré en rajoutera : « Bien, j'ai rien fait en ce qui concerne ces gars dont vous parlez. J'ai rien fait, je ne sais pas. »

Il finira par admettre que son rôle, à ce moment-là, avait été de prendre des chiffres et de les « rentrer à l'ordinateur », sans savoir véritablement pourquoi.

---

43. Serge Beugré a livré un long témoignage lors de l'interrogatoire mené en octobre 2006 en vertu de l'article 163 de la Loi sur la faillite et l'insolvabilité.

À l'entendre, il aurait fait un simple travail de secrétariat. Il aurait accepté d'agir de la sorte, prétextant que c'était « un travail *rush* à faire ». Il prétendra qu'il ignorait qu'il était en train de créer de faux documents, dans cette salle de conférence où se trouvaient 10 « volontaires » occupés à fabriquer des faux. Pour se défendre, pour justifier les documents qu'il a signés à titre d'administrateur de plusieurs sociétés de Norbourg, Beugré dira que c'est Mᵉ Alain Dussault, l'avocat corporatif de la compagnie, qui se chargeait de faire signer les administrateurs, dont lui.

« Donc, vous avez signé ça [les documents] sans trop savoir ce que vous signiez ? »

« Absolument », répondra-t-il candidement.

On parle pourtant de 75 résolutions corporatives de diverses entités du Groupe Norbourg, où sa signature apparaît. Or, Éric Asselin déclarera, lors de sa déposition devant la GRC, en juin 2005, que Serge Beugré et une petite équipe de collaborateurs s'étaient retrouvés dans une salle de conférence, toujours à l'automne 2002, afin de « confectionner et signer des conventions de gestion privée », prétendument intervenues entre le Groupe Norbourg et certains clients.

Le nom de Beugré y apparaît comme administrateur de nombreuses sociétés de Norbourg. Il a même signé plusieurs résolutions corporatives concernant des contre-offres et des négociations pour l'acquisition d'un immeuble bien difficile à ignorer : le 55, rue Saint-Jacques, acquis de la Caisse de dépôt et placement du Québec par la Société immobilière Norbourg.

Beugré maintiendra à plusieurs reprises que son rôle se limitait à celui de stratège financier. Il niera aussi avoir signé une résolution pour l'achat de Groupe Futur, en avril 2003.

« Vous me l'apprenez. Vous me l'apprenez », répétera-t-il, peu convaincant.

L'acquisition de Capital Teraxis ?

« C'est moi que, vous dites, j'ai autorisé ça ? C'est ça, que vous dites ? Eh bien ! En tout cas, monsieur, je vous avoue que vous m'apprenez beaucoup de choses », répondra-t-il encore.

Il a également signé des résolutions corporatives approuvant l'acquisition d'Investissement SPA et de la clientèle de Claude Boisvenue.

Fonds privés Norbourg, ça ne lui dit rien.

« Aucune idée, monsieur », dira-t-il.

L'immeuble du 114, de la rue Saint-Georges, à La Prairie, il ne connaît pas. Pourtant, une des filiales du Groupe Norbourg, la firme Nortek, y avait ses bureaux.

« Ah! Bien oui. Les bureaux de Nortek, oui », finira-t-il par admettre.

Connaissait-il Northstone Power, en Alberta, Dagua (dont Norbourg International détenait des participations minoritaires)? Il dit que non. Il ne connaît pas, par ailleurs, Norbourg Valeurs mobilières, MCA Valeurs mobilières, Norbourg Assurances.

Il nie avoir été actionnaire d'une quelconque société de Norbourg, même s'il a détenu des actions de Norbourg International d'octobre 2002 à janvier 2003.

« Même réponse, monsieur. Je vous avoue que je tombe des nues », insistera-t-il.

Il dira « c'est pas exact » quand on lui signalera qu'il a été un des signataires autorisés des chèques pour la très grande majorité des compagnies composant le Groupe Norbourg. Il prétend ne pas savoir que Kathleen Renous était la secrétaire administrative de Vincent Lacroix.

Il connaît par contre l'avocat montréalais spécialisé en transactions *offshore*. Il a entendu parler de lui parce qu'à un moment donné « on avait l'intention de créer une structure, la structure qu'on a en Suisse », expliquera-t-il.

Et puis, c'est lui qui a présenté Félicien Souka, l'informaticien, à Vincent Lacroix.

« Et vous l'avez connu comment, monsieur Souka ? »

« Ah! Bien, je l'ai connu dans le cadre de mes activités professionnelles. Écoutez, moi, je suis un Noir, alors donc je fréquente souvent les Noirs et puis dans les activités professionnelles des Noirs, bien, voilà, j'ai connu Félicien et puis voilà. Il cherchait un travail et puis je l'ai présenté à M. Lacroix, voilà », dira-t-il. Souka est celui qui a monté et bâti le site web d'Ivoire Finance.

Serge Beugré soutiendra avoir eu « certains amis qui ont des sous en Europe, en Suisse ». Voilà pourquoi il serait allé là-bas pour faire du démarchage. En interrogatoire, il niera néanmoins avoir démissionné du Groupe Norbourg en novembre 2004 pour devenir consultant au sein de sa firme Ivoire Finance.

Quand on l'interrogera au sujet de Jean Renaud, il dira qu'il avait une vague idée de qui était le fonctionnaire du ministère des Finances.

« Je ne savais pas ce qu'il faisait exactement, c'était un consultant », prétendra-t-il.

Kate Nazar, cependant, il ne connaît pas. C'était pourtant la gestionnaire chez Northern Trust affectée au dossier Norbourg.

Michel Fragasso?

« D'après ce que j'ai compris, c'était le patron de Capital Teraxis », admettra-t-il.

Il ajoute : « M. Fragasso, ce n'est pas mon ami, je veux dire, on n'a pas trait les vaches ensemble pour que ce soit mon ami […]. »

À en croire Beugré, c'est à se demander s'il a jamais mis les pieds chez Norbourg.

En interrogatoire, on lui présentera un document signé de sa main et envoyé par courriel à Jean Cholette (« *From* Serge Beugré *to* Jean Cholette »). Il y est question d'un montant faramineux (61,4 M$) pour des retraits effectués entre 2000 et 2005 par Lacroix.

« C'est la première fois que je le vois [le document en question] et puis c'est la première fois que vous me parlez de ce montant […]», insinuera-t-il.

On lui demande s'il fait cette déclaration sous serment. En guise de réponse, il dira : « Je suis prêt à passer le test [du détecteur] de mensonges, si vous voulez. »

Il aurait empoché 230 000 $ par année chez Norbourg Gestion d'actifs, en sus de son salaire annuel. En novembre 2003, on lui avait versé 150 000 $.

« Ça, c'est un don que M. Lacroix m'a fait », expliquera-t-il.

Pourquoi ce don ? Réponse : « Je commençais à être maraudé par d'autres firmes qui me recherchaient, qui voulaient m'avoir au sein de leur groupe. »

Il arrondissait aussi ses comptes de dépenses.

« On marchait de façon collégiale… on n'entrait pas des *number crunching* », expliquera-t-il après coup.

Lui aussi, il sortait ses clients pour les entretenir. Il avouera que « ça coûte cher ». On parle de 80 000 $ en un an ! Il y a là-dedans beaucoup de dépenses de dancing en Suisse.

« Ça coûte très, très cher ces dépenses, vous savez », s'exclamera-t-il tout en gardant son sérieux. Il dira avoir fait du démarchage auprès de clients ivoiriens et africains, en Suisse.

Ivoire Finance, sa firme de consultants, s'était fait payer 180 000 $ par Norbourg pour ces activités de sollicitation. Pendant un an, jusqu'au début de 2005, Lacroix lui aura versé 88 000 $ « personnellement ». Beugré avait également un compte à la Banque Cantonale de Fribourg.

Nous ne consacrerons pas d'autres chapitres aux petits et grands malheurs des proches collaborateurs de Vincent Lacroix. L'avenir révélera sûrement d'autres détails sur la façon dont « la bande des cinq » a fait preuve de mépris envers les investisseurs au cours des années de « croissance artificielle » chez Norbourg.

Tandis que les investisseurs continuent de se faire du mauvais sang, dans l'attente d'un règlement en leur faveur, les enquêtes et les recours dans l'affaire Norbourg, loin d'apaiser les victimes, sèment plutôt la consternation. Certaines révélations au sujet du « laxisme » affiché par la CVMQ – devenue l'AMF en 2004 – susciteront un très fort vent de colère, particulièrement en juillet 2009.

Des témoignages embarrassants, livrés par des inspecteurs de l'ex-CVMQ interrogés par les avocats Serge Létourneau et Jacques Larochelle, dans le cadre du recours collectif intenté au nom des 9 200 investisseurs floués[44], auront pour conséquence d'estomaquer davantage les victimes et ceux qui suivent de près le dossier Norbourg.

Ainsi, à plusieurs reprises entre 2002 et 2004, les inspecteurs de l'ex-CVMQ, entre autres Vincent Mascolo, auraient, sans succès, alerté leurs supérieurs sur la nécessité de lancer une enquête sur Norbourg et son président Vincent Lacroix. C'est que la première inspection menée en octobre 2002 par l'organisme de régulation permettait déjà de constater que le patron de Norbourg utilisait les fonds confiés à sa firme de placement à des fins personnelles. Cette inspection avait soulevé de sérieux doutes sur l'authenticité des documents que Lacroix produisait pour les régulateurs.

Le directeur de la conformité de la CVMQ, Jean Lorrain, avait déjà eu de sérieux doutes au sujet de Norbourg, dès l'hiver 2001, lorsque Lacroix avait envisagé d'acheter Maxima Capital avec des fonds dont la provenance demeurait inexpliquée et inexplicable par le principal intéressé.

---

44. Le 26 août 2005, au lendemain des perquisitions chez Norbourg, Mᵉ Yves Lauzon, du cabinet Lauzon Bélanger, avait tenté d'intenter un recours collectif contre Vincent Lacroix et Norbourg. Mᵉ Lauzon était détenteur de fonds chez Norbourg avoisinant les 2 M$.

L'inspection de l'automne 2002 ne l'avait guère rassuré. Convaincu qu'il fallait aller plus loin, Lorrain aurait demandé qu'on déclenche une enquête en bonne et due forme chez Norbourg. Le dossier Norbourg, qui semblait pourtant « urgent » aux yeux du directeur de la conformité, ne sera pas traité avec diligence. La requête qu'il avait soumise, en vue du déclenchement d'une enquête sur Norbourg, sera ignorée, ou du moins reléguée aux oubliettes.

Entre-temps, un nouveau patron, Pierre Bettez, enquêteur à la Sûreté du Québec, dirigera la conformité à l'AMF. Bettez semblait ignorer à ce moment-là qu'une demande d'enquête avait été instruite par son prédécesseur. Toutefois, en avril 2004, un enquêteur de la Banque Nationale, Michel Carlos, un ancien policier qui connaît Pierre Bettez, fera de troublantes découvertes au sujet de Lacroix et s'en ouvrira à Bettez. Il est question d'un détournement de fonds de 2 M$ US au profit du président de Norbourg. Vincent Lacroix aurait fait transiter cette somme d'un compte de Norbourg à la Caisse populaire de La Prairie, vers son compte personnel de la Banque Nationale, au moyen de faux transferts électroniques.

Il n'en faut pas moins pour que Pierre Bettez alerte l'escouade des crimes économiques de la Sûreté du Québec. Il est convaincu que Lacroix « est un bandit[45] », un redoutable tricheur. Mais il n'informera personne à l'AMF, qui dispose pourtant de tous les outils pour agir et mettre au pas les représentants et les firmes de placement.

Les mois s'écoulent et l'argent des investisseurs continue de passer à travers le tamis. Vincent Lacroix puise dans les comptes des investisseurs. Son appétit semble insatiable.

En juin 2004, Michel Carlos, cet enquêteur à la Banque Nationale, transmet son dossier au CANAFE, une agence fédérale dont la mission consiste à surveiller les transactions financières pour contrer le blanchiment d'argent[46].

---

45. Pierre Bettez a été questionné par les avocats Létourneau et Larochelle en novembre 2008 dans le cadre du recours collectif intenté au nom des 9 200 investisseurs floués chez Norbourg.

46. Depuis le 23 juin 2008, en vertu de la Loi sur le recyclage des produits de la criminalité et le financement des activités terroristes, les conseillers financiers sont tenus de déclarer les opérations douteuses « effectuées ou tentées à l'égard desquelles il y a des motifs raisonnables de soupçonner qu'elles sont liées à la perpétration réelle ou tentée d'une infraction de blanchiment d'argent ou d'une infraction de financement d'activités terroristes », peut-on lire sur le site Internet du CANAFE (www.canafe-fintrac.gc.ca).

Le CANAFE fait son travail avec sérieux et produit à son tour un rapport bien documenté qui confirme les doutes du policier-enquêteur de la Banque Nationale. Le rapport incriminant sera acheminé à l'ÉIPMF. Le document compromettant aboutira sur le bureau de Claire Lewis[47], alors directrice des enquêtes et du contentieux à l'AMF. Le chef du service des inspections et des enquêtes de l'AMF, Réginald Michiels, aurait, lui aussi, reçu ce rapport au printemps 2005. Mais il n'aurait pas fait suivre le document, n'en aurait discuté avec aucun de ses collègues et l'aurait envoyé… à la déchiqueteuse. Ce rapport recensait plusieurs transactions douteuses effectuées par Vincent Lacroix.

Il était connu que l'AMF avait mis du temps à réagir pour freiner l'hémorragie. Mais ce qui l'était moins, c'est qu'entre avril 2004, au moment où l'enquêteur de la Banque Nationale, Michel Carlos, avait détecté des transactions frauduleuses, et le 25 août 2005, lors des perquisitions de la GRC, Vincent Lacroix en avait profité pour siphonner les fonds des investisseurs.

Le financier déchu effectuera plus de la moitié des retraits frauduleux dans les comptes des investisseurs durant cette courte période de temps. En 16 mois, il puisera 63 M$ dans les comptes de ses clients-investisseurs. Le dévoilement de ces faits nouveaux, en juin 2009, relancera le débat sur la façon dont les enquêtes ont été menées par les « polices de la finance ».

Mais l'AMF s'était gardée des munitions dans le dossier du recours collectif. Le 15 septembre 2009, l'Autorité rejettera toutes les allégations selon lesquelles l'organisme aurait pu réagir dès 2002 pour faire cesser la fraude chez Norbourg. L'AMF rejettera toute la responsabilité sur la firme de vérification comptable KPMG et le gardien de valeurs Northern Trust.

L'AMF soutiendra avoir agi en toute bonne foi et déclinera toute responsabilité pour les dommages subis par les victimes flouées par Vincent Lacroix.

Ce seraient plutôt, dira l'AMF, les « sentinelles postées sur le terrain par le législateur afin de veiller à ce que les intérêts soient protégés »,

---

47. Claire Lewis a dirigé les « enquêtes » à l'AMF de novembre 2004 à juillet 2005. Après avoir déclaré en entrevue (au journal *Finance et Investissement*) qu'elle « aime le défi » qu'on lui a demandé de relever, elle quitte « abruptement » son poste un mois plus tard, en juillet 2005.

qui auraient pu intervenir. Ces « sentinelles », aux yeux de l'Autorité, ce sont Northern Trust, Concentra Trust, KPMG et le comptable Rémi Deschambault, qui ont « lamentablement échoué à remplir les obligations que la loi leur imposait ». L'AMF demeurera muette sur la délicate question touchant l'inspection ratée d'octobre 2002 menée par la CVMQ.

Il sera toutefois difficile d'ignorer que l'AMF avait eu à sévir contre certains de ses employés affectés au dossier Norbourg. Des sanctions disciplinaires et des suspensions avaient alors été imposées à huit de ses employés.

« L'Autorité en est venue à la conclusion que certains employés ont fait preuve d'imprudence et d'un manque de jugement. L'Autorité prend donc des mesures afin de s'assurer que de telles situations ne se reproduisent plus. Des activités de sensibilisation sont prévues à cet effet », avait écrit l'AMF dans un communiqué, le 26 mars 2006. La raison des sanctions n'avait pas été donnée, mais il avait été évoqué que les employés fautifs auraient participé à un party de Noël organisé par Vincent Lacroix dans un resto branché du centre-ville.

Un employé qui menait une enquête interne dans l'affaire Norbourg avait aussi été approché par Vincent Lacroix. L'ex-PDG aurait tenté de le « soudoyer ». « Heureusement, l'employé en question a refusé séance tenante les offres de Vincent Lacroix », précisera l'Autorité dans le même communiqué. L'organisme soutenait qu'« en aucun temps » son intégrité ni sa capacité à mener son enquête interne sur Norbourg n'ont été « mises en péril ».

Il faut bien l'avouer, l'affaire Norbourg a monopolisé, depuis son déclenchement à l'été 2005, un nombre considérable de ressources humaines et financières. Le syndic RSM Richter a consacré des centaines d'heures à ce dossier de fraude avec la collaboration de ses avocats de la firme Gowling Lafleur Henderson. Le liquidateur Ernst & Young s'est chargé, pour sa part, de retracer les biens et les actifs de Vincent Lacroix et du Groupe financier Norbourg. L'AMF a accumulé des pages et des pages de documents pertinents dans le dossier Norbourg. L'Équipe intégrée de la GRC a fait son travail d'enquête, de même que la Sûreté du Québec.

Personne ne l'a dit ouvertement, mais il est arrivé trop souvent que ces intervenants impliqués dans l'enquête Norbourg oublient de travailler en équipe et d'échanger les informations. La communication et la collaboration ont fait défaut, ce qui n'a pas aidé la cause des investisseurs floués, en plus de ralentir inutilement le processus d'enquête[48].

Après l'éclatement du scandale, KPMG aurait fait apposer des scellés pour « empêcher les enquêteurs de l'AMF d'avoir accès à trois boîtes de documents cruciaux contenant des informations sur les états financiers de 2003, 2004 et 2005 des Fonds Évolution ». KPMG aurait invoqué le secret professionnel. Les documents ont par la suite été remis à l'AMF mais l'Autorité dira, en février 2006, ne pas avoir « compris » le comportement de la firme comptable qui aurait contribué à « retarder son enquête ». L'AMF critiquera même la firme comptable,

---

48. Le syndic RSM Richter a dû s'adresser aux tribunaux afin d'avoir plein accès aux documents corporatifs de Norbourg qui étaient alors en possession de la GRC.

laissant entendre que KPMG aurait eu « quelque chose à cacher » en agissant de la sorte.

Les enquêteurs de l'AMF et ceux de la GRC sembleront préférer travailler séparément plutôt que d'échanger leurs informations et leurs documents juridiques.

D'un côté, l'AMF a accéléré les procédures afin de traîner Vincent Lacroix devant les tribunaux en vue de lui faire subir un procès au pénal pour des infractions en vertu de la Loi sur les valeurs mobilières. De l'autre, la GRC a été critiquée pour avoir mis trop de temps à lancer ses accusations contre Vincent Lacroix en vue de la tenue d'un procès au criminel.

L'AMF a agi de façon précipitée, selon plusieurs observateurs, pour « préserver son image ». L'Autorité affichait un œil au beurre noir depuis l'éclatement de l'affaire Norbourg. Les investisseurs floués lui reprochaient d'avoir laissé Vincent Lacroix vider les fonds.

Cette stratégie, celle de l'attaque, a laissé bien peu de marge de manœuvre à la GRC, qui a dû attendre son tour avant de lancer ses accusations, cette fois au criminel, contre le financier fraudeur et ses collaborateurs.

Mais il y a lieu de se poser d'autres questions sur ce manque de communication qui ne date pas d'hier entre l'AMF et la GRC. Comment expliquer que l'AMF, qui menait pourtant son enquête sur Norbourg depuis la mi-novembre 2004, n'ait été mise au courant de la déposition du délateur Éric Asselin du 21 juin 2005 dans les locaux de la GRC, que le 9 août 2005, soit plus de deux semaines plus tard et exactement 16 jours avant la descente chez Norbourg?

Comment expliquer que la GRC n'ait pas jugé bon de communiquer immédiatement avec l'AMF quand Asselin s'est présenté à ses quartiers généraux pour vider son sac?

Les investisseurs ont d'autres raisons de se questionner sur le manque apparent de « collaboration » entre les « intervenants ». Comme cela était prévisible, les honoraires d'avocats ont explosé depuis le 25 août 2005. Les bilans ne sont pas complétés mais on sait que l'AMF avait déjà payé 8,6 M$ en services juridiques externes (de juin 2005 à mars 2009[49]). À elle seule, la firme d'avocats Heenan Blaikie avait touché au printemps 2009 près de la moitié de ce montant. Ce cabinet d'avocats a pour mandat de défendre l'AMF dans le cadre du recours collectif au nom des 9 200 investisseurs floués.

49. En mai 2009, à la suite d'une demande d'accès à l'information soumise par le quotidien, *La Presse* révélait que la facture pour les « fournisseurs de services professionnels juridiques » s'élevait à 8,6 M$. Le cabinet Heenan Blaikie avait touché 3,9 M$, Leclerc juricomptables, 2,2 M$, Hébert Downs et Associés, 830 135 $, Langlois Kronström Desjardins, 802 481 $, Pouliot L'Écuyer, 307 204 $, Fraser Miner Casgrain, 95 040 $, Irving Mitchell Kalichman, 168 164 $ et Desjardins Ducharme, 245 747 $.

TROISIÈME PARTIE

LENDEMAINS DOULOUREUX POUR LES VICTIMES

Sommeil perturbé. Anxiété. Frustration. Colère. Les victimes de Vincent Lacroix sont passées par toute la gamme des émotions, la plupart du temps négatives, depuis l'éclatement de l'affaire Norbourg. Le policier à la retraite Réal Ouimet, 66 ans, a perdu toutes ses économies : 310 000 $.

« C'est frustrant d'en arriver là, après avoir trimé dur toute ma vie pour me constituer un fonds de pension qui allait me permettre d'avoir un agréable train de vie », soupire-t-il.

Il a dû renoncer à une retraite paisible, faute de « revenus de pension ». Il sera embauché comme responsable de la sécurité dans une station touristique de Bromont. « Je fais de 40 à 50 heures par semaine. Je n'ai guère le choix de travailler pour payer ma maison, pour vivre tout simplement », racontera cette autre victime de Vincent Lacroix.

Réal Ouimet avait prévu de couler une retraite tranquille avec ses placements « sûrs » dans les Fonds Évolution. Il s'était même acheté un véhicule récréatif pour voyager sans soucis, sans tracas financiers. Le financier fraudeur en a décidé autrement.

« J'étais pourtant venu bien près de ne pas acheter ces fonds communs de placement auprès de Capital Teraxis », raconte le retraité encore actif sur le marché du travail. C'était en mai 2003. Il s'apprêtait à prendre sa retraite et un planificateur financier était allé le rencontrer, au service de police de Bromont, pour l'aider à faire des choix éclairés.

Il décidera alors d'investir ses avoirs dans les Fonds Évolution « parce que, après tout, dit-il, c'était la Caisse de dépôt qui était derrière cela ».

Réal Ouimet se sent en confiance. « J'ai sorti tout mon argent accumulé en vue de la retraite et je l'ai placé à la Caisse de dépôt. J'avais, entre autres, un 10 000 $ dans le Fonds de solidarité de la FTQ ; j'avais aussi un autre 10 000 $ dans les Fonds Fidelity », raconte-t-il.

Il mettra ses billes dans les Fonds Évolution avec la compréhension que les rendements atteindront de 5,2 à 5,5 % annuellement. Mais il hésitera avant de prendre cette décision. Ce jour-là, en mai 2003, il avait également été sollicité par un représentant d'Option Retraite qui lui proposait un rendement de 6,5 %.

Au cours des premiers mois, ce nouveau client de Capital Teraxis est satisfait. La Caisse est aux commandes et son argent est en sécurité. Au cours de l'hiver 2004, avec Vincent Lacroix désormais propriétaire des Fonds Évolution et de Capital Teraxis, il reçoit des relevés de rendements qui montrent – faussement – que ses fonds communs produisent du 7-8 %.

« J'ignore, comme tous les autres investisseurs, que ces relevés sont tous des faux ! J'ignore surtout que je suis devenu un client de Lacroix », enrage-t-il encore. Il ajoute que le nom de Norbourg n'apparaît pas sur les (faux) certificats. Il fait valoir que d'autres investisseurs – des médecins, entre autres, qui ont de fortes sommes d'argent investies dans les fonds Perfolio (qui font partie d'Évolution) – se sont fait servir, de leur côté, de faux rendements de 11 à 14 % par un Vincent Lacroix qui magouillait outrageusement.

Le temps finira-t-il par arranger les choses ? Le chef de la sûreté municipale de Bromont tente de conserver son calme après toutes ces années d'angoisse. Mais il a la rage au cœur quand il parle de l'épisode Norbourg.

« Et dire que j'ai fait des efforts durant toute ma vie pour en arriver là ! C'est mon argent qu'on a volé. J'ai économisé 104 $ par semaine durant toute ma carière pour me bâtir un régime de retraite. C'est argent-là, je l'ai gagné ! » martèle-t-il.

Tant bien que mal, Réal Ouimet tente de regarder dans son rétroviseur pour mieux comprendre ce qui lui est arrivé. Il ne comprend toujours pas. Ou plutôt : il constate froidement qu'il fait partie des victimes de Vincent Lacroix et des « éclopés » de la Caisse de dépôt et placement du Québec.

Très actif au sein d'une association des victimes de Norbourg, Réal Ouimet jouera, à sa manière, les confidents auprès d'investisseurs floués. « Je peux vous dire que certains ont très mal en dedans », laisse-t-il échapper. Échaudé, c'est le moins que l'on puisse dire, attendu les circonstances, il aurait souhaité voir Vincent Lacroix croupir derrière les barreaux. « J'ai encore confiance en la justice », dira-t-il à l'été 2009 au moment où le financier déchu sort de prison, après avoir passé 18 mois derrière les barreaux.

Réal Ouimet n'a jamais eu froid aux yeux et il ne s'en cache pas. Des voleurs, des bandits violents, il en a souvent côtoyé durant sa longue carrière de flic dans les Cantons de l'Est. Il était allé rencontrer Vincent Lacroix à sa résidence de Candiac, rue Dagobert, avant la tenue du procès au pénal, à l'automne 2007.

« Je suis allé le voir chez lui avec deux autres victimes de Norbourg. Il [Lacroix] ne cessait de répéter qu'il rembourserait les victimes jusqu'à la dernière cenne noire. Je ne l'ai jamais cru », se souvient-il. Lors de cette « confrontation », il sera accompagné, notamment, de Michel Vézina, une autre victime détroussée de 300 000 $. Plus tard, il lancera en boutade que l'envie ne lui a pas manqué de le « casser en morceaux ».

Dans l'affaire Norbourg, Réal Ouimet continue de s'interroger. « Comment expliquer que les autorités de surveillance aient attendu aussi longtemps avant d'intervenir ? J'ai ma petite idée à ce sujet. En tout cas, je me demande ce qu'il serait advenu de Norbourg si Éric Asselin n'était pas allé raconter son histoire aux enquêteurs de la GRC », s'interroge-t-il à haute voix.

Il ne faut pas croire que Réal Ouimet a baissé les bras. Il est monté au créneau pour exercer un recours collectif contre la Caisse de dépôt et placement du Québec, au nom des détenteurs des Fonds Évolution. Il soutenait alors que la Caisse de dépôt aurait « commis une faute et engagé sa responsabilité » à l'égard des investisseurs en vendant à Vincent Lacroix sans laisser aux petits investisseurs comme lui le temps de réfléchir. En février 2008, il déposa une requête en vue d'intenter ce recours collectif.

Selon lui, la Caisse avait failli dans son rôle auprès de ses investisseurs. Elle n'aurait pas pris le temps de faire les vérifications qui s'imposaient avant de vendre les Fonds Évolution et Capital Teraxis à Vincent Lacroix. L'ex-policier voulait démontrer que la Caisse aurait laissé tomber les épargnants québécois qui avaient misé sur ses solides assises pour faire fructifier leurs économies. En juillet 2009, cette demande sera rejetée et les efforts de ce bagarreur pour faire porter une partie du blâme sur la Caisse seront anéantis.

En dépit de ce nouvel échec, Réal Ouimet est convaincu qu'il aura, tôt ou tard, une occasion de croiser le fer avec les « responsables » du gâchis Norbourg. Mais si ce n'est pas avec son recours collectif à lui, ce sera peut-être avec le recours déposé par deux victimes au nom des 9 200 investisseurs floués : Michel Vézina et le docteur Wilhelm Pellemans.

Michel Vézina est un autre de ces investisseur démolis. À 70 ans, il a perdu toute trace des 300 000 $ qu'il avait investis avec sa conjointe dans les Fonds Évolution. Le débosseleur de métier a dû sortir de sa retraite et retourner sur le marché du travail pour « garder sa maison » et payer l'épicerie. Il travaillera à mi-temps dans un atelier de mécanique automobile sur la Rive-Sud de Montréal et honorera des « petits contrats » de peinture et de rénovation.

Michel Vézina ne se gêne pas pour exprimer le fond de sa pensée. À son avis, Lacroix et sa clique s'en sont mis plein les poches parce que « personne ne les a empêchés d'agir frauduleusement ». « Je dois avouer que certains jours, je me sens épuisé. Cette bataille que nous menons pour récupérer notre argent draine beaucoup d'énergie », confiera-t-il.

Il n'arrive pas à comprendre – à vrai dire, il n'y croit absolument pas – que Vincent Lacroix ait dépensé autant d'argent seul. « Liquider 115 M$ en trois ans [de la fin 2002 à la fin août 2005], c'est beaucoup d'argent ! Je ne serais pas surpris d'apprendre que des millions de dollars sont cachés dans les paradis fiscaux, aux Bahamas ou ailleurs », accuse-t-il, sans toutefois pouvoir étayer son argumentation.

Michel Vézina reprend, à sa manière, la théorie du courtier Fabien Major. Sur son blogue, l'ex-représentant chez Capital Teraxis s'interroge sur des « versements faits à des bénéficiaires inconnus » qui totaliseraient, selon ses calculs, 5,4 M$.

Vincent Lacroix a toujours nié vigoureusement avoir caché de l'argent dans ces paradis. Pressé de questions, le financier fraudeur a répété qu'il n'a jamais conclu d'ententes avec des amis et partenaires en affaires pour « placer » pour lui des sommes d'argent « dans le monde ».

« Je n'ai pas d'actifs aux Bahamas et en Suisse », maintiendra Lacroix. Il ajoutera qu'il n'a jamais eu de compte bancaire dans des fiducies familiales.

Il en rajoutera : « Je peux juste partir à rire quand on veut me forcer à dire que j'ai une fondation là-bas ». Mais il admettra que son oncle fortuné, Robert Simoneau, a déposé un montant de 180 000 $ dans un compte en fidéicommis, un compte *in trust*, en vue de couvrir ses frais d'avocats devant les tribunaux. Un ami de Lacroix, le courtier Robert Duval, aurait mis lui aussi 100 000 $ dans un compte *in trust* pour couvrir les frais d'avocats du financier fraudeur. Lacroix prétendra qu'il ne peut pas compter sur l'aide financière de sa conjointe, Sylvie Giguère, faisant valoir que son salaire annuel de pharmacienne, de 80 000 $, ne lui permettait pas d'en mettre de côté.

Michel Vézina ne pardonnera jamais à Vincent Lacroix. « Je suis réduit à travailler, faute de revenus de retraite, à cause d'un individu comme lui », lance-t-il. Mais il n'accepte pas non plus les explications de l'ex-ministre des Finances, Monique Jérôme-Forget, sur la question entourant la vente de Fonds Évolution et de Capital Teraxis à Vincent Lacroix.

« J'avais demandé pourquoi à la ministre Jérôme-Forget. Elle m'avait répondu : pour faire du rendement! » interprète-t-il à sa façon.

Il a néanmoins la conviction qu'il finira par être remboursé. « Mais quand? En attendant, je continue de vieillir. Le temps perdu est du temps perdu », lance-t-il, résigné.

Il a prévenu ses enfants qu'ils toucheront peut-être cet argent prévu pour sa retraite sous la forme d'un... héritage. « C'est dégueulasse ce qu'on nous fait endurer! » martèle-t-il.

Il s'indigne de voir que les investisseurs dans les Fonds Évolution n'ont encore rien touché. Par contre, des investisseurs qui étaient dans les fonds de Norbourg ont touché des sommes d'argent de l'AMF, par l'intermédiaire du Fonds d'indemnisation.

Les victimes de Lacroix qui avaient investi dans le Fonds commun Évolution ont le fardeau de la preuve sur leurs épaules : ces épargnants devront démontrer que des organismes comme l'AMF et des entreprises réputées comme Northern Trust, Concentra Trust et KPMG ont commis des fautes dans le dossier Norbourg.

En revanche, les victimes de Lacroix qui étaient détenteurs de fonds vendus par Norbourg, par le réseau de représentants de la firme de placement, n'ont pas eu à se battre pour récupérer leur dû. L'AMF a conclu à des manquements dans la distribution de ces fonds par des représentants en épargne collective à l'emploi de Norbourg et Vincent Lacroix.

Deux dossiers de réclamations, donc ; mais deux dossiers qui n'ont pas été traités sur un pied d'égalité. L'affaire Norbourg a fait deux « catégories » de victimes : celles qui avaient des Fonds Évolution, comme Michel Vézina, et celles qui, comme on le verra plus loin dans ce récit, ont eu la « chance » de détenir des fonds de Norbourg.

Michel Vézina trouve le moyen de sourire, mais sans grands éclats. « Le temps guérit les cicatrices. Je ne passe plus de nuits blanches à jongler, à me dire que j'ai perdu mes économies de retraite gagnées à la sueur de mon front. J'ai pourtant travaillé 46 ans de ma vie, monsieur, pour en arriver là, devant rien ! Je vais me battre jusqu'à la dernière goutte de mon sang pour qu'on me donne ce qu'on me doit ! » promet-il.

Mais cette bataille n'a pas été sans conséquences pour les victimes. La conjointe de Michel Vézina, qui possède elle aussi des fonds (Évolution) engloutis dans Norbourg, a déploré la réaction « parfois négative » de certaines personnes qui ont tenté, au début, de profiter des malheurs des petits investisseurs.

« Dans les premiers mois suivant l'éclatement du scandale, il y a eu des gens qui ont sonné à notre porte pour nous demander si on voulait vendre notre maison. Je n'en reviens pas encore ! » déplore-t-elle.

Des histoires tristes comme celle de Michel Vézina et de sa conjointe, on en a recensé plusieurs milliers depuis l'éclatement du scandale Norbourg. Mais il y avait aussi, parmi les investisseurs floués, des battants prêts à monter au front pour faire fléchir les « responsables » de la saignée des fonds Norbourg et Évolution.

Parmi les investisseurs floués, certains ont évidemment goûté plus que d'autres à la médecine de Vincent Lacroix. Le docteur Wilhelm Pellemans, 69 ans, est l'un de ceux qui ont perdu beaucoup d'argent. Et il a décidé de mener un dur combat, aux côtés de Michel Vézina, au nom des 9 200 investisseurs floués.

Le docteur Pellemans est à la tête du recours collectif intenté contre 15 organismes ou individus « responsables » dans l'affaire Norbourg.

Quatre ans qu'il se bat ; quatre années qu'il discute avec les avocats Larochelle et Létourneau, quatre longues années qu'il tente de replacer les morceaux du puzzle Norbourg.

« On va gagner, c'est certain. Mais on ne sait pas quand, malheureusement », dit le docteur Pellemans.

Il ne peut toutefois s'empêcher de remonter le fil des événements. C'est en écoutant la télé, le 25 août 2005, qu'il a mesuré l'ampleur du drame. Il a tout de suite pris le téléphone pour parler à son courtier, Claude Boisvenue. Mais son courtier n'était pas à son bureau…

« J'ai fini par savoir où il se trouvait. Je l'ai joint au Chili ! Il m'a dit : " Je reviens ! Je reviens ! ", quand je l'ai informé des perquisitions chez Norbourg », se souvient le docteur Pellemans.

Selon lui, le courtier Boisvenue lui dira d'abord qu'il ne sait pas, qu'il n'est au courant de rien. À ce moment-là, le courtier a sous gestion pour plus de 40 M$ d'actifs de clients.

« Mais on a su plus tard qu'il nous avait volé royalement », raconte le chirurgien plasticien qui évite de dévoiler l'ampleur de ses pertes. Il avait investi une partie de ses économies dans les fonds Perfolio faisant partie des Fonds Évolution.

Le docteur Pellemans ne veut pas s'apitoyer sur son sort et il répète qu'il y a pire que lui. « Une perte financière est une perte financière. Moi, je ne veux pas faire des ulcères avec cette affaire. Je sais que je vais finir par récupérer mon argent », dit le chirurgien.

Mais il en veut à son ex-courtier. « Il a touché 4,5 M$ de Vincent Lacroix pour passer chez Norbourg sans nous en informer, en septembre 2004. Il a transféré nos fonds chez Lacroix, moyennant cette bien belle prime! Ce-n'est qu'en mai 2005 qu'il nous a envoyé une lettre nous informant qu'il s'était associé à une firme en expansion (Norbourg). Il nous promettait des rendements faramineux », se souvient-il.

En bonne santé, le docteur Pellemans avait prévu prendre sa retraite vers l'âge de 70 ans. La catastrophe Norbourg le fera travailler deux à trois ans de plus. « Au début, quand tout cela a débuté, cette affaire m'a profondément emmerdé. Mais là, je me dis que je n'ai d'autre choix que de continuer à me battre pour obtenir gain de cause, pour les investisseurs et pour moi-même », dit celui qui a déjà été président de l'Association des médecins de langue française du Canada (AMLFC).

Vincent Lacroix, de son côté, fournira des détails « croustillants » sur sa relation complexe avec le courtier Claude Boisvenue. Il dira que Norbourg avait acheté la clientèle du courtier, composée en partie de médecins, à la fin de l'été 2004. Il ajoutera que le courtier était pleinement « au courant » des pratiques douteuses de Vincent Lacroix et qu'il savait que Lacroix puisait ses fonds chez Northern Trust pour financer ses activités.

Boisvenue, qui voyageait beaucoup, tout comme Vincent Lacroix, aurait même abordé cette délicate question lors d'un voyage à Paris à l'automne 2004. Le courtier, selon Lacroix, hésitait à informer ses clients de cette transaction avec Norbourg. La firme de placement était dans l'eau chaude depuis la publication du dossier-choc dans le journal *Finance et Investissement* (en juin 2004) et, au dire de Lacroix, Claude Boisvenue ne voulait pas effrayer ses clients en leur disant qu'ils venaient de passer dans le camp de Norbourg.

Le docteur Pellemans faisait confiance à son coutier depuis plus de 10 ans quand l'affaire Norbourg a éclaté. « Ça allait plutôt bien jusqu'à ce que Lacroix lui fasse une proposition. C'est là que tout a basculé », déplore-t-il.

Des médecins, clients du courtier, ont « mangé une grosse claque », dit-il, certains perdant jusqu'à 700 000 $ après la découverte de l'escroquerie.

Des enfants ont également perdu beaucoup d'argent…

Les victimes de Vincent Lacroix ne sortent pas toutes du même moule, c'est bien évident. Il n'y a pas que des retraités dans le groupe des investisseurs floués. On trouve aussi deux jeunes orphelines lavalloises que le scandale Norbourg prive de l'héritage de leurs parents. Daphney et Abygail ont perdu 195 000 $.

Jean-Guy Houle, leur grand-père, avait remis une lettre émouvante au financier déchu, en octobre 2007, durant son procès pénal. Dans cette lettre, il demandait de rembourser l'héritage, au nom des deux petites.

« Je l'ai regardé droit dans les yeux et lui ai dit : voici un cadeau de Noël de la part de mes deux petites-filles », se souvient-il. Lacroix avait promis de lui téléphoner. Le téléphone n'a jamais sonné.

Nous reproduisons le contenu de la lettre.

« Voici deux orphelines. Deux orphelines qui ont été flouées par Vincent Lacroix. En janvier 2003, elles ont perdu leur père, leur mère et leur sœur dans un accident de la route. Daphney avait 8 ans et Abygail, 16 mois. En 2004, elles ont perdu chacune 97 500 $, qui avaient été placés dans le fonds Teraxis pour leur « évolution ». Pourront-elles un jour les récupérer ? C'est la question que ces deux enfants posent. Comment avez-vous pu leur faire cela, après le drame qu'elles ont vécu ? L'argent, c'est bien peu, nous direz-vous, comparé à la perte de leur famille. Mais quand on a 8 ans, ou pire encore, 16 mois, et toute la vie devant soi, c'est une catastrophe. Comment peut-on être indifférent à ce point au malheur des autres ? Comment ne pas se demander pourquoi certains peuvent jouir de paradis fiscaux, alors que d'autres ont un besoin criant de cet argent ? Un être humain peut-il agir ainsi sans avoir de remords ??? Vincent Lacroix, ces

enfants s'attendent à retrouver cet argent. Resterez-vous insensible à leur demande? La société restera-t-elle insensible à leur demande et continuera-t-elle d'avaliser un tel comportement? »

C'est signé: le grand-père des deux orphelines et tuteur de Daphney.

Gilles Viel ne l'a pas eu facile, lui non plus. Le conseiller financier, âgé de 63 ans, a perdu 388 000 $ dans les Fonds Évolution ; ses clients, à qui il avait vendu ces mêmes fonds, ont vu disparaître, en tout, 700 000 $. Il a touché un maigre chèque de 27 000 $ du Fonds d'indemnisation de l'AMF puisqu'il détenait également des fonds de Norbourg vendus par des représentants de Vincent Lacroix. C'est loin de la rente mensuelle de 4 000 $ qu'il avait planifiée avant que la terre ne tremble sous ses pieds. Il est toujours partagé entre des sentiments de colère et de vengeance. C'est son argent à lui et à sa conjointe, et celui de ses enfants et de ses petits-enfants, qui a été dérobé. Il croyait pourtant que tout allait bien jusqu'à ce jour fatidique du 25 août 2005. « Pas plus tard qu'en juillet [2005], je croyais que le rendement [sur les placements] était de 14,5 % ! » s'étonne encore aujourd'hui le courtier de la région de Québec.

Gilles Viel refuse toutefois d'abdiquer. Il dit se lever chaque matin pour continuer de défendre ses clients et pour l'avenir de ses enfants et de ses petits-enfants. Il concède que ses clients ont beaucoup souffert depuis la découverte de la fraude chez Norbourg.

Il en veut particulièrement à la Caisse de dépôt et placement du Québec. « C'est cette institution financière, en qui j'avais placé toute ma confiance, mes économies, et celles de mes clients, qui a failli à la tâche », accuse-t-il.

Il se dit déçu des réponses fournies par Henri-Paul Rousseau, du temps où ce dernier était encore PDG de la Caisse. Le 9 juin 2006, en pleine tourmente Norbourg, Henri-Paul Rousseau écrira à Gilles Viel qu'« aucun fait, directement ou indirectement, ne permet de relier la Caisse, en faits et en droit, à une responsabilité quelconque à l'égard des investissements détenus par les porteurs de parts ». Henri-Paul Rousseau ajoutera que, « même si des vérifications ont été effectuées, que l'autorisation a été obtenue de la CVMQ et que les avis ont

161

été donnés, il n'était pas possible pour la Caisse de savoir que des appropriations de fonds pourraient être commises par des gestionnaires de l'entreprise qui a acquis Fonds Évolution inc. [...]. La Caisse souhaite comme vous que justice soit faite le plus rapidement possible dans ce dossier ».

C'était signé Henri-Paul Rousseau, avec copie conforme au premier ministre du Québec, Jean Charest, et à son ministre des Finances de l'époque, Michel Audet.

Après l'éclatement de l'affaire Norbourg, la tension était palpable dans les bureaux des étages supérieurs de la Caisse de dépôt et placement du Québec. Une salle de réunion sera réquisitionnée afin de permettre la « consultation » de boîtes de documents sur la transaction entre Services financiers CDPQ, Norbourg et Vincent Lacroix.

Henri-Paul Rousseau avait paru « très choqué » par l'ampleur du scandale et « préoccupé » par les pertes financières encaissées par les petits investisseurs-clients de Fonds Évolution.

« Le temps nous dira peut-être autre chose, n'est ce pas ? », se questionne aujourd'hui Gilles Viel. Il ne fait pas de doute, selon lui, qu'il s'agit là d'un « scandale politico-financier ». Il aurait souhaité que les « officiers » de la Sûreté du Québec, témoins selon lui de la conduite de Lacroix, interviennent pour limiter les dégâts. Il se demande pourquoi des dirigeants de la Caisse, « de concert avec la CVMQ », prétend-il, ne sont pas intervenus pour empêcher la vente des Fonds Évolution.

Il déplore que, face à des « faits troublants », des « politiciens aient adopté la politique de l'autruche ». Il blâme des fonctionnaires qui auraient « joué d'ignorance volontaire, improuvable ou difficilement prouvable », lors des discussions qui ont mené à la vente de Capital Teraxis à Lacroix.

Selon lui, il y aurait eu « de trop nombreux témoins de l'affaire Norbourg ».

« Et ces témoins, ajoute-t-il, se trouvaient tantôt à Québec, au sein de la classe politique, tantôt à Montréal, dans les bureaux de l'AMF, chez certains fonctionnaires somnolents qui ne semblaient pas voir ce qui se passait véritablement dans la cour à Lacroix. »

Gilles Viel ne peut oublier les « grandes déclarations » des politiciens lors de la tenue de la Commission sur les finances publiques, en juin 1996, alors que le PQ était au pouvoir.

« On nous disait vouloir bâtir un secteur des finances solide. C'était un beau projet. On voyait grand », se souvient-il, amer. À cette commission, il y avait du beau monde. On avait remarqué la présence, entre autres, de Jean Campeau, ex-PDG de la Caisse de dépôt.

C'est dans ce courant nationaliste que naîtra en 1997 Services financiers CDPQ, filiale de la Caisse de dépôt et placement du Québec.

« Je recevais des propositions de Capital Teraxis, qui nous encourageait à vendre les produits Évolution. On me demandait de répandre la bonne nouvelle ! » ironise aujourd'hui le conseiller financier.

À l'époque, l'État québécois avait, selon lui, un objectif de placements qui devait atteindre 35 milliards $ en janvier 2005 et 100 milliards $ en janvier 2008. Comme bien d'autres investisseurs floués, Gilles Viel déplore l'absence de « profits réels » réalisés par la Caisse lors de la vente d'Évolution et de Capital Teraxis.

La Caisse aurait investi 5 M$ pour lancer Capital Teraxis en 1998. En 2001, elle aurait injecté un nouveau montant, soit 9 M$, pour soutenir son aventure dans les fonds communs de placement. À cela s'ajoute une somme de 1,6 M$ dans les Fonds Évolution. L'investissement total aura donc été de 15,6 M$.

La Caisse détenait 80 % dans Teraxis et Évolution. Elle aurait donc encaissé 8,2 M$ puisque Lacroix a payé 10,3 M$ pour Capital Teraxis et Évolution. Avec tout l'argent mis dans cette aventure ratée, et en tenant compte du montant encaissé lors de la vente, doit-on conclure que la Caisse aurait subi, à la fin, une perte sèche de 7,3 M$[50] ? Cette évaluation, sommaire, n'a jamais été confirmée par la Caisse. Certains analystes ont évoqué une « vente de débarras ». À la Caisse, on a plutôt parlé d'un « processus [de vente] ordonné ».

---

50. En juin 2006, la revue *Conseiller.ca* avait publié un dossier intitulé : « La déroute de Norbourg indispose la Caisse », où il était question des pertes potentielles liées à la vente de Capital Teraxis et Fonds Évolution à « l'apprenti gestionnaire » Vincent Lacroix.

Il faut croire que Vincent Lacroix ne voyait pas les choses du même œil que la Caisse. Dans le rapport annuel 2004 de Fonds Évolution, le PDG de Norbourg décrit « l'évolution » de son entreprise dans des termes élogieux. « Tel qu'exprimé dans notre rapport annuel 2003, écrit-il alors, nous voulions garder le cap sur la croissance en 2004 ; grâce aux acquisitions et aux regroupements réalisés, nous avons pu maintenir la vitesse de croisière recherchée. »

Le président se réjouira que Norbourg ait procédé à l'acquisition des Fonds Évolution, le 19 décembre 2003. Il est en verve. Il ajoute : « Cette volonté de progresser constamment s'applique aussi à l'ensemble de nos produits et de nos services financiers tels qu'on le voit avec notre souci de la préservation du capital, l'approche de gestion optimale selon le meilleur ratio rendement/risque et la création du capital dans le respect des objectifs financiers de nos clients. »

Pour mieux comprendre les « motivations » du président, il s'impose de décoder ses subtils messages. Dans une lettre adressée aux investisseurs, Lacroix manie les mots comme il manipule l'argent de ses clients. Il prétend que l'intégration des Fonds Évolution, d'Investissement SPA et de Services Financiers Dr (en août 2004) s'est faite « en toute douceur [sic] et dans les règles de l'art, selon le modèle Norbourg ».

« Au terme de cette opération, assure-t-il, nous sommes heureux de constater que tous les partenaires se sentent très à l'aise avec la culture corporative de Norbourg. » Mais comment pouvait-il affirmer que ces « partenaires » avaient tous épousé la culture Norbourg ? Que signifiait, au juste, pour les investisseurs, une intégration « dans les règles de l'art » ?

C'est sans doute pour mieux définir le « style de gestion unique », selon le modèle Norbourg, que Vincent Lacroix et ses collaborateurs lanceront, en novembre 2004, le premier numéro du magazine corporatif *Stratégia*, où il sera notamment question de la « croissance phénoménale » de cette jeune entreprise qui compte alors près de 60 employés et plus de 600 représentants.

Le magazine ne parviendra pas à naviguer sur une mer d'huile et Vincent Lacroix aura bien du mal à hisser les voiles aux couleurs de Norbourg. Mais cette première édition permettra au capitaine Lacroix de livrer ses messages. Il fera dire au rédacteur en chef « qu'il n'est pas rare de voir des analystes et des journalistes financiers s'étonner devant le succès de l'entreprise de M. Vincent Lacroix ».

« Le succès de la compagnie est le fait d'une équipe extrêmement dynamique, composée d'analystes, d'ingénieurs financiers, de recherchistes, de stratégistes couvrant tous les secteurs d'investissement », écrira le rédacteur en chef du magazine. On apprendra dans ce numéro de novembre 2004 – une pièce de collection ! – que Norbourg fait partie de la « nouvelle génération de la finance ».

« Bien que Norbourg soit devenue un joueur important, la société n'envisage pas de grandir au détriment de la rentabilité. C'est un principe auquel les dirigeants ne veulent pas déroger pour le plus grand bien de la clientèle, sachant très bien que l'ampleur de l'entreprise n'est pas nécessairement synonyme de succès », écrira encore le rédacteur.

Éric Asselin s'exprimera lui aussi dans ce magazine. Le vice-président aux finances vantera « l'absence de frais d'entrée et de sortie dans les fonds Norbourg ». Il dira que cette « innovation » dans le marché « trace une nouvelle voie dans la façon de faire des affaires, trouve de plus en plus d'adeptes au sein de la clientèle ».

Norbourg ne se servira pas uniquement de l'imprimé pour démarcher sa clientèle. La firme montréalaise achètera du temps d'antenne, sur les ondes d'une radio privée montréalaise, Radio-Média, dès septembre 2004, pour parler finances. L'émission radiophonique « Stratégia » sera diffusée chaque dimanche midi et les clients de Norbourg auront l'opportunité de poser leurs questions à Vincent Lacroix ou à ses acolytes.

Le président de Norbourg fera aussi des apparitions au canal « Argent » pour parler encore une fois des marchés financiers et des stratégies à adopter pour rentabiliser ses investissements dans les fonds communs de placement. Lacroix ira même jusqu'à faire aménager un petit studio de télé dans les locaux de Norbourg. Il retiendra les services d'un agent de relations publiques pour soigner son image et celle de son entreprise, qu'il qualifie sans gêne de « société privée de haut calibre […] en train de se hisser au sommet du groupe des compagnies indépendantes ».

Avant de faire naufrage, le magazine *Stratégia* permettra aux investisseurs d'en apprendre davantage sur la personnalité de ses dirigeants. Il est intéressant d'entendre Éric Asselin à l'automne 2004 sur les forces de Norbourg. Le vice-président prédira dans ce numéro que « le Québec sera étonné du positionnement de la société [Norbourg] au palmarès des grandes entreprises éventuellement ». On ignore ce qu'il voulait dire par « éventuellement »…

Le magazine montrera quatre dirigeants de Norbourg réunis sur une même photo en novembre 2004 : le PDG Vincent Lacroix et son stratège principal Serge Beugré ; le président du comité de gestion, Mario Lavallée, et le directeur de l'ingénierie financière, Pierre Therrien. Lavallée et Therrien n'ont joué aucun rôle négatif dans l'affaire Norbourg.

Dans le cas de Mario Lavallée, certains ont même évoqué que ce diplômé en finance de l'Université de New York, précédé d'une carrière académique de plus de 20 ans à l'Université de Sherbrooke, aux HEC Montréal et à l'UQAM, aurait pu servir de « caution morale » à Vincent Lacroix durant l'ère Norbourg. Le professeur Therrien venait lui aussi de la Caisse de dépôt et placement du Québec, où il officiera en qualité de vice-président de la gestion des comptes des déposants pendant quatre ans. Il aura accompagné Lacroix des débuts de Norbourg jusqu'à la toute fin.

Mais s'est-il retrouvé dans la même position que Michel Fragasso ? Les deux hommes reconnus pour leurs compétences dans leurs domaines respectifs ont-ils marché dans le sentier tracé par Vincent Lacroix sans en connaître l'issue ? Lacroix disait-il toujours toute la vérité à ceux qui l'entouraient au sein de Norbourg ?

La culture d'entreprise à la manière Vincent Lacroix ne faisait pas l'unanimité, loin s'en faut. Il y avait de la contestation, et le mouvement d'opposition était bien palpable à l'hiver 2004.

Fabien Major travaillait comme représentant chez Services financiers Teraxis depuis 2001 – à l'époque où la Caisse jouait encore un rôle dans l'industrie des fonds communs de placement au Québec – quand Lacroix est arrivé avec sa bande après avoir raflé Fonds Évolution et Capital Teraxis. Il a vite déchanté.

« Je ne parvenais pas à comprendre quel était son plan. Je me demandais même s'il en avait un », racontera Fabien Major à l'été 2009.

En janvier 2004, il avait eu une première occasion de confirmer ses appréhensions au sujet de Lacroix. Dans une salle bondée du Château Champlain, où étaient réunis plus de 300 représentants de Teraxis, que venait d'acquérir Lacroix, il allait entendre des propos qui le feront bondir sur sa chaise.

« Tout ce qu'il a réussi à nous dire, c'est qu'il voulait faire taire les rumeurs qui l'associaient aux Hells Angels ! » raconte le représentant, encore abasourdi. Lacroix était un client assidu des bars de danseuses réputés être des lieux propices au blanchiment d'argent. Et comme le président de Norbourg brassait de grosses affaires dans l'industrie du placement, des courtiers et des investisseurs avaient lancé cette rumeur.

Selon Fabien Major, au moins le tiers des représentants présents qui assistaient à la première rencontre sembleront mal à l'aise avec le style de Vincent Lacroix. Il aura lui-même l'impression que Lacroix tente de cacher certaines vérités et les nombreux déplacements en Suisse du PDG de Norbourg confortaient davantage ses appréhensions. C'est avec la volonté d'en avoir le cœur net qu'il participera à des réunions secrètes pour évaluer le « cas Lacroix » avec d'autres conseillers de la région de Montréal et de Québec. La direction de Norbourg avait toutefois ses antennes. Elle sera informée rapidement qu'il existe de nombreux dissidents dans le groupe des représentants.

« Ça s'est su assez vite », se souvient Fabien Major. Selon lui, des représentants opposés au « régime Lacroix » auraient alors reçu des appels téléphoniques, polis mais fermes, d'Éric Asselin, les invitant à cesser le mouvement de contestation. Lacroix n'acceptait pas la critique et il faisait preuve d'une extrême méfiance. Des conseillers et des employés œuvrant dans les salles de transactions apprendront, de leur côté, qu'ils sont surveillés électroniquement.

Certains employés-clés chargés des comptes bancaires, et qui avaient émis des doutes, se souviennent d'avoir été filés alors qu'ils rentraient chez eux le soir. « À au moins deux reprises, en février 2004, alors que je travaillais tard la nuit pour chercher un cabinet de remplacement à Teraxis, j'ai vu des véhicules se stationner devant ma demeure et y rester des heures en marche. Je me suis senti suivi, épié », dira le représentant.

En mars 2004, la pression avait monté d'un cran. Cette fois, c'est au Mount Stephen Club, rue Drummond, un chic club privé qui n'avait rien à voir avec le décor brumeux d'un autre club sélect, Chez Parée, que Fabien Major tentera d'interroger Vincent Lacroix sur des questions touchant les activités fondamentales de Norbourg.

« Je lui avais alors demandé de me dire avec qui on partageait la plate-forme de vente de valeurs mobilières. Il nous disait que Norbourg n'en faisait pas [de vente de valeurs mobilières], mais je lui ai rappelé que sa présentation en powerpoint démontrait le contraire ! Face à ses propres contradictions, Lacroix pognait les nerfs. Mes remarques l'avaient fortement agacé », se rappelle-t-il.

Fabien Major quittera la salle de réunion « escorté » par le bras droit de Lacroix, Éric Asselin. « Asselin a tenté de me dissuader de quitter, mais ma décision était prise. J'en avais assez vu. J'allais remettre ma démission à Diane Duchesne, chez Capital Teraxis, ce que j'ai fait dès mon retour de la réunion », dira-t-il.

Quelques jours plus tard, Asselin téléphonait à Fabien Major pour lui dire qu'il n'était pas loyal de contester et de vouloir se joindre à une autre organisation.

« J'avais été estomaqué de constater que Lacroix, qui venait de ramener la gestion des fonds chez Norbourg, ne détenait presque plus d'actions et d'obligations dans les Fonds Évolution. Il prétendait que le marché boursier était trop volatile et qu'il valait mieux rendre les fonds plus liquides. Pour moi, ça ne faisait pas de sens. J'avais peur que cette liquidité soit détournée vers d'autres activités du groupe. Je ne me suis jamais douté que la suite serait aussi malhonnête. J'ai communiqué mes doutes à des dizaines de mes confrères représentants », expliquera-t-il.

Les représentants se réuniront à quelques reprises pour mesurer l'ampleur des dommages. Mais Vincent Lacroix sera vite mis au courant de cette rébellion au sein même de ses troupes. Des courtiers auront la désagréable impression d'être épiés par Lacroix et sa garde prétorienne. Chez Norbourg, la contestation n'était pas bien vue à l'époque où la firme de placement surfait sur des succès artificiels.

Était-ce en réaction à une possible rébellion ? Le 22 mars 2004, Vincent Lacroix signait un contrat avec la firme Rapide Investigation pour la surveillance de son réseau informatique et tout ce qui avait trait aux systèmes de sécurité. Il arrêtera son choix sur cette firme qu'il connaissait déjà pour avoir eu recours à ses services à la suite d'un vol d'ordinateur chez Norbourg, en mars 2003, alors qu'il se trouvait… en vacances en Floride. Le super enquêteur qui travaillera chez Norbourg aura droit à une maison à Longueuil, payée par Vincent Lacroix, et à une automobile.

De son côté, Fabien Major, qui avait déjà décidé de partir, donnera un grand coup de balai qui s'avérera salutaire pour ses clients. Tout se bousculera par la suite. Dès avril, le représentant contestataire proposera à ses clients de sortir leurs investissements des Fonds Évolution, désormais sous la coupe de Vincent Lacroix. Il vendra la quasi-totalité des Fonds Évolution. Les clients de Fabien Major lui doivent une fière chandelle. Sans son intervention, leurs épargnes auraient, elles aussi, été emportées par le raz-de-marée Norbourg. Un seul client s'est montré récalcitrant. Il a bien failli perdre sa mise (30 000 $) dans cette aventure. « Je lui avais dit de sortir, mais il avait décidé de maintenir ses investissements, parce qu'il ne voulait pas payer la pénalité de sortie de 300 $ », raconte-t-il.

Un an plus tard, le 19 août 2005, alors que la rumeur d'éclatement de Norbourg s'intensifiait, cet investisseur rencontre Fabien Major sur un terrain de golf. « J'avais des formulaires en ma possession. On les a rédigés ensemble et la demande de sortie des fonds a été acheminée. Mon client a touché son chèque le lendemain de la perquisition chez Norbourg. Il a en a été quitte pour une grosse frousse », raconte-t-il.

Fabien Major vendait des Fonds Évolution à ses clients à l'époque où ses gestionnaires étaient Montrusco, Jarislowsky et Addenda. Quand Lacroix a mis fin aux ententes avec ces gestionnaires, le courtier a jugé que c'en était assez. Il aurait souhaité que son geste soit imité par les autorités de régulation (l'AMF) afin de limiter les dégâts, qu'elles bougent plus vite et fassent preuve d'une plus grande rigueur.

« Des affaires comme celle qui a sali les investisseurs de Norbourg, et qui a entaché la réputation des représentants en fonds et en sécurité financière, n'ont rien de bien réjouissant pour notre industrie. Nous aurions tous pu en faire l'économie », soupire-t-il.

En juillet 2009, une quinzaine de représentants en épargne collective exprimeront le désir d'intenter un recours collectif contre l'AMF, affirmant que l'Autorité leur aurait fait payer les pots cassés. Les représentants ont, en effet, été mis à contribution par l'AMF pour renflouer le Fonds d'indemnisation. Ce fonds a été vidé pour permettre le remboursement partiel d'une somme de 31 M$ à 925 des 9 200 investisseurs floués.

Des représentants s'exprimeront sur la question, sous le couvert de l'anonymat, de crainte de subir les foudres de l'AMF. L'un d'eux déplorera le geste « unilatéral » de l'Autorité des marchés financiers.

« Ce n'est pas nous qui avons floué les investisseurs, c'est Vincent Lacroix qui a fait fabriquer de faux documents pour détourner l'argent. Elle nous fait payer pour des gestes discutables commis par certains représentants qui ont vendu des fonds Norbourg », dira un courtier, furieux du traitement infligé aux représentants.

On ne peut parler d'un mouvement de révolte qui gagnera l'ensemble des courtiers et représentants, mais en juin 2009, nombreux seront ces professionnels du placement à élever la voix pour critiquer l'AMF.

« Vincent Lacroix n'a pas seulement volé les épargnants, il a ruiné notre santé et brisé notre fierté », renchérira sans détours le courtier Fabien Major.

Et on découvrira peu de temps après que la déception d'un groupe de représentats en épargne collective avait été beaucoup plus grande qu'on ne le croyait.

À vrai dire, l'affaire Norbourg aura fait des victimes non seulement chez les courtiers, mais aussi au sein du personnel cadre de Norbourg. Certains mettront des mois à s'en remettre. C'est le cas de Pierre Béland, qui enrage encore aujourd'hui. Comme investisseur dans les Fonds Évolution, il a « tout perdu » ; comme vice-président aux ventes chez Fonds Évolution, il aura été berné par son patron Vincent Lacroix jusqu'à la toute fin des activités de Norbourg.

Pierre Béland avait participé à la mise sur pied des fonds Valorem, propriété de SSQ Groupe financier, en 1997. Il s'était plus tard retrouvé chez Fonds Évolution lors de la vente de Valorem. Il a ainsi travaillé sous le chapeau de la Caisse de dépôt et placement du Québec jusqu'à ce que Vincent Lacroix achète les Fonds Évolution en décembre 2003. Il est devenu un employé cadre chez Norbourg à l'hiver 2004. Pendant dix-huit mois, le vice-président aux ventes travaillera au sein de l'entreprise dirigée par Lacroix.

Il s'en veut encore aujourd'hui de ne pas avoir perçu les bons signaux au cours du règne du financier fraudeur. Il jure n'avoir jamais douté de l'honnêteté de son ancien patron. Le président de Norbourg lui avait toujours affirmé, selon ses dires, qu'il avait recours à du financement pour effectuer ses nombreuses acquisitions. Ce qui était loin d'être le cas.

Pendant que Lacroix étirait ses lunchs d'affaires au Grand Café à Montréal, Pierre Béland se dépensait sans compter auprès de ses clients. « Je n'allais pas m'amuser avec lui. Je ne sortais pas dans les bars », insiste-t-il.

Des confrères lui disaient pourtant que ce n'était pas très régulier, un PDG de firme de placement qui dépense son argent dans les bars de danseuses. Le 25 août 2005, Pierre Béland sera toutefois obligé d'admettre que Lacroix est un tricheur. Ce gestionnaire à la réputation sans tache sera assommé. Littéralement.

Il savait que son patron était un personnage flamboyant, un m'as-tu-vu et un dépensier. Il avait lui-même participé, quelques mois auparavant, lors du congé de Pâques, au voyage tous frais payés par Vincent Lacroix (plutôt par les investisseurs) à Varadero.

Lacroix avait invité des représentants et des employés-clés au Paradisius, un hôtel cinq étoiles. Mais Pierre Béland n'avait pas décidé de son propre chef de faire ce voyage dans le Sud. « Lacroix m'avait annoncé à la dernière minute que tout était déjà organisé; il avait même prévenu ma conjointe qu'on partait pour Cuba », se souvient-il. Il s'agissait d'un voyage « de formation » dans un décor de bord de mer. Cinq mois plus tard, l'affaire Norbourg allait faire des vagues parmi les représentants et les employés de la firme de placement...

Avec la rage au cœur, Pierre Béland témoignera devant la Commission des finances publiques, en 2007, dans l'affaire Norbourg. Il identifiera des « coupables ».

« La Caisse de dépôt a vendu les épargnes des Québécois à un voleur, avec la bénédiction de l'AMF », avait-il tonné au cours des audiences. Il soutenait que les Fonds Évolution avaient été offerts « sur un plateau d'argent » à Vincent Lacroix. Il avait également questionné le rôle des « facilitateurs » dans l'affaire Norbourg. Il avait identifié les gardiens de valeurs Northern Trust et Concentra Trust, la firme de vérificateurs comptables KPMG et la CVMQ (devenue l'AMF). Il aurait également souhaité que le Mouvement Desjardins sonne le tocsin dès juin 2004 après avoir exigé le remboursement des 22,4 M$ confiés à Norbourg par la filiale Opvest.

Pierre Béland reconnaît aujourd'hui que le mal est fait. Il travaille toujours dans le secteur du placement mais il déplore, comme bien d'autres collègues, que des cabinets de courtage en valeurs mobilières aient été frappés aussi durement par le ressac provoqué par le scandale Norbourg-Vincent Lacroix.

François Cantin continue lui aussi de croire que le gâchis Norbourg aurait pu être évité. L'ex-représentant chez Capital Teraxis déplore que la Caisse de dépôt et placement du Québec ait vendu à Vincent Lacroix sans prendre le temps d'étudier une proposition de rachat des représentants de Teraxis. « On avait un projet intéressant. On voulait former une coopérative des représentants pour faire une proposition d'achat de Fonds Évolution. On avait eu des rencontres positives, à Québec et à Drummondville. On avait des atouts solides », nous confiera le courtier à l'été 2009.

Une vingtaine de représentants avaient participé à ces rencontres, en octobre 2003, en présence du président-directeur général de Capital Teraxis, Michel Fragasso. Ce dernier semblait enthousiaste à l'idée de créer cette coopérative qui aurait eu besoin d'une aide financière d'Investissement Québec.

Mais le vent a tourné rapidement au cours de l'automne. « On a mis fin à nos démarches lorsqu'on a appris qu'il y avait déjà une offre sur la table, celle de Vincent Lacroix », se rappelle le courtier. Le projet de coopérative des représentants venait d'être balayé.

« C'est certain que c'était un projet au stade préliminaire. Il restait beaucoup à faire avant d'en arriver à une présentation documentée. Mais il y avait chez Teraxis des représentants prêts à relever le défi. Il fallait avoir un gros esprit d'entrepreneurship et j'estime qu'on avait tout le potentiel », raconte le courtier, aujourd'hui maire de Blainville.

François Cantin déplore toutefois que le projet de coopérative « n'a pas semblé être pris au sérieux », à l'extérieur des murs de Capital Teraxis, et il se demande si les dés n'étaient pas pipés lors des discussions. La présence de Vincent Lacroix, déjà en négociations avec Michel Fragasso pour acheter Fonds Évolution, y aurait été pour quelque chose, selon son évaluation.

Avec le recul, François Cantin ne s'explique pas pourquoi la Caisse a privilégié la candidature du président de Norbourg. La saignée des Fonds Évolution par le « tigre de Norbourg » a fait perdre « beaucoup d'argent » à ses clients.

« Cette affaire de fraude a été pénible pour tout le monde..J'ai perdu de l'argent, mes clients en ont perdu, et au bout du compte, j'ai perdu des clients », comptabilise le courtier qui, comme Pierre Béland, avait débuté sa carrière chez Valorem.

François Cantin ne peut réécrire le passé mais il est aujourd'hui en mesure d'y voir plus clair. Il ne fait pas de doute, selon lui, que Vincent Lacroix avait tout mis en œuvre pour impressionner ses clients et ses courtiers. « Il était flamboyant, on le voyait bien. Il invitait ses clients au Centre Bell. Il allait aux danseuses. En même temps, il y avait beaucoup d'action chez Norbourg. Lacroix organisait des rencontres pour les représentants, à tous les trois mois. On avait l'impression de faire affaire avec une firme vraiment professionnelle », expliquera-t-il.

Toutefois des indices auraient pu éveiller ses soupçons. « Norbourg était en croissance mais son *staff* n'était pas imposant. Il y avait peu d'employés pour faire le travail », avait-il observé.

Le courtier fait partie du groupe de représentants qui ont été invités à Cuba, lors du long congé de Pâques, en 2005. Il avait été impressionné par la qualité des spécialistes qui donnaient des ateliers de formation sur les questions légales et sur la fiscalité. « J'y suis allé à mes frais et je m'en félicite après coup », dit-il. François Cantin ignorait à ce moment-là que la barque de Norbourg prenait l'eau dangereusement. Aussi a-t-il été choqué d'apprendre, le 25 août 2005, que Vincent Lacroix était un escroc de la finance.

François Cantin n'a pas quitté l'industrie du placement depuis l'hécatombe Norbourg. Il a toutefois modifié son approche.

« Je m'empresse de fournir l'information à mes clients avant que ceux-ci me posent des questions sur le risque potentiel d'investir dans tel ou tel autre produit », souligne-t-il.

Il concède avoir « cru énormément » au potentiel des Fonds Évolution, avant que la Caisse ne s'en départisse « rapidement ». « Évolution, c'était la couleur Québec. J'aimais vendre ces fonds à mes clients.

J'avais l'impression de contribuer à l'avancement de firmes d'ici. C'est dommage que tout cela ait été détruit », ajoute-t-il.

À n'en point douter, les dommages causés par l'affaire Norbourg ont été beaucoup plus considérables qu'il n'y paraît à première vue…

Ce sont principalement les firmes de courtage indépendantes qui ont le plus souffert au cours de l'après-Norbourg. Ces courtiers, ne faisant pas partie de grandes institutions financières, ont perdu, bien malgré eux, une partie de leur crédibilité et de leur clientèle. Des investisseurs se sont soudainement mis à douter, qu'ils aient ou non investi dans des fonds de Norbourg.

Des courtiers indépendants verront des clients leur échapper, conséquence de l'affaire Norbourg. Le lien de confiance des investisseurs envers les maisons de courtage non liées aux grandes institutions financières sera soudainement fragilisé. L'affaire Norbourg affectera durement l'environnement d'affaires des petites firmes indépendantes de planification financière au Québec.

Option Retraite en subira les contre-coups. Le 18 septembre 2008, trois ans après l'éclatement du scandale Norbourg, Richard Dorval vendra la firme de placement à la Banque Nationale. Option Retraite, qui avait vu le jour en 1993, comptait alors 18 000 clients et 62 employés. C'est un joueur indépendant de l'industrie du placement qui sera ainsi récupéré par une grande banque.

L'affaire Norbourg n'explique pas entièrement la décision du président Richard Dorval de vendre sa PME, mais le « vendeur » reconnaît que ce scandale n'a pas aidé sa cause. Il était devenu plus difficile de retenir des clients.

« Nous avions constaté que des clients étaient devenus soudainement plus craintifs. L'image négative de Norbourg et de Vincent Lacroix revenait sans cesse », nous dira Richard Dorval à l'hiver 2009[51].

---

51. Depuis la transaction, Richard Dorval occupe un poste de conseiller spécial à la direction de la Banque Nationale.

Il ne cache pas que son parcours aurait été bien différent si Vincent Lacroix n'avait pas tout détruit sur son passage. Au cours des années 1990, et jusqu'à ce que Norbourg éclate en mille morceaux, Option Retraite s'était taillé une solide réputation dans son secteur d'activités. Richard Dorval mettait à contribution ses talents de communicateur pour rejoindre d'éventuels clients-investisseurs. Il animait même des émissions à la radio sur les finances personnelles.

Le courtier aura néanmoins tout tenté dans les mois suivant l'éclatement du scandale Norbourg. En février 2006, il avait pris son bâton de pèlerin pour inciter les investisseurs floués à monter au créneau. Il souhaitait alors que la Caisse de dépôt et de placement du Québec « prenne ses responsabilités » dans ce dossier. Il fera parvenir des lettres de contestation au premier ministre du Québec, Jean Charest, à son ministre des Finances, Michel Audet, au PDG de la Caisse, Henri-Paul Rousseau, au président du conseil d'administration de la Caisse, Pierre Brunet, et au PDG de l'AMF, Jean St-Gelais.

Des commentateurs de la scène politique et économique avaient pris le relais, pressant le gouvernement Charest de faire preuve de compassion envers les épargnants et de les dédommager, « sur une base exceptionnelle », quitte à engager des poursuites, ultérieurement, contre les véritables responsables.

Ni le gouvernement, ni le ministre des Finances, ni le PDG de la Caisse, ni les dirigeants de l'AMF ne lui fourniront de réponses satisfaisantes, et la croisade de Richard Dorval en faveur des petits investisseurs ne mènera nulle part.

Mince consolation pour Richard Dorval : alors qu'il était président d'Option Retraite, il avait retiré ses billes – et celles de ses clients qui avaient de l'argent dans les Fonds Évolution – après que Vincent Lacroix eut acheté Capital Teraxis à l'hiver 2004. Il avait vu juste en y allant de ce retrait préventif dans les Fonds Évolution.

« Je n'avais pas confiance en Vincent Lacroix. Je ne l'ai jamais cru », nous répétera-t-il.

Il y aura eu, heureusement, des investisseurs moins malchanceux qui pourront récupérer leur dû rapidement. Ces investisseurs n'avaient pas acheté des Fonds Évolution, mais plutôt des fonds de Norbourg. C'est le cas de Bertrand Lemieux.

Deux ans après l'éclatement du scandale, il sera indemnisé pour un montant de 89 000 $. « C'est terminé. Je ne veux plus entendre parler de l'affaire Norbourg », soupirera-t-il.

Bertrand Lemieux est un dentiste à la retraite de la région de Québec, qui a été « indemnisé », et non pas remboursé, insiste-t-il. « Je récupère le montant que j'ai investi, pas les intérêts. Je suis satisfait du dénouement, compte tenu des circonstances », confiera-t-il en août 2007. Sa femme récupérera, pour sa part, un montant de 9 000 $ qu'elle avait, elle aussi, englouti dans l'aventure Norbourg.

Le couple a été indemnisé parce qu'il a été démontré qu'il avait été victime d'une fraude survenue lors de la distribution des produits financiers Norbourg par certains cabinets de courtage. Le dentiste Lemieux et sa conjointe font partie des 925 investisseurs, sur un total de 9 200, qui ont été indemnisés après avoir acheté des fonds communs vendus par Norbourg. L'AMF avait conclu en janvier 2007 que Lacroix avait mis en place des « incitatifs financiers » dont auraient bénéficié certains de ses représentants afin de favoriser la vente des fonds Norbourg. Cette affirmation a été vigoureusement niée par les courtiers visés par la décision de l'Autorité.

Cependant, l'ensemble des investisseurs, c'est-à-dire ceux qui avaient acheté les Fonds Évolution sous le régime de la Caisse de dépôt du Québec, n'ont pas eu la même chance. À leur grand désarroi, leurs réclamations pour toucher des indemnisations ont été rejetées en janvier 2007 par l'AMF. Concrètement, ces 8 275 investisseurs floués n'ont eu droit à aucun remboursement parce qu'ils n'étaient pas des clients directs de Norbourg. Les investisseurs floués par Vincent Lacroix ont eu du mal à saisir toutes les nuances de cette décision controversée.

Bertrand Lemieux, pour sa part, a touché son chèque mais il n'a pas sablé le champagne pour célébrer l'« événement ». Il aurait souhaité que toutes les victimes de Lacroix aient droit, comme lui, à un traitement équitable. Qu'a-t-il fait des 89 000 $ récupérés chez Norbourg? Il a suivi les conseils de ses filles, qui lui ont recommandé le choix d'un courtier en qui elles avaient entièrement confiance. « Cette fois, je vais l'avoir à l'œil ! » nous dira-t-il.

Premier vice-président de la Caisse de dépôt et placement du Québec (CDPQ), Michel Nadeau était aux premières loges à l'époque où Vincent Lacroix travaillait sous ses ordres. Il avait été son patron de 1991 à la fin de 1994. Il n'assumait cependant pas la supervision quotidienne de ce jeune homme fraîchement diplômé d'une maîtrise de l'Université de Sherbrooke; il était alors responsable de la répartition de l'actif et de la gestion sur les marchés boursiers et obligataires. Michel Nadeau, on l'a dit, était numéro deux à la Caisse, alors dirigée par le PDG Jean-Claude Scraire.

« Après son départ de la Caisse, Vincent avait été associé à deux entreprises qui avaient connu de sérieuses difficultés: le courtier Maxima Capital et le gestionnaire de fonds Kogeva. J'étais un peu déçu de voir mon ex-stagiaire s'empêtrer dans des firmes qui n'allaient nulle part. J'avais ensuite été quelque peu étonné d'apprendre que Vincent Lacroix se lançait dans la gestion de fonds au détail », expliquera Michel Nadeau, à notre demande.

« Après son départ de la Caisse, je ne l'ai rencontré qu'une seule fois. Mais j'étais étonné de voir Lacroix développer Norbourg à toute vitesse au début des années 2000. »

« J'étais très sceptique de voir cette entreprise connaître une croissance vertigineuse. Je voyais bien qu'il s'agissait d'un *one man show*. Il semblait agir seul. Lors de mon unique visite à ses bureaux, je n'en suis pas revenu de le voir prendre l'appel du *trader* pour décider si on achetait l'action de telle compagnie à 15 ¾ ou 15 ⅞ », raconte-t-il.

Michel Nadeau n'en croyait pas ses yeux. Sceptique, comme plusieurs de ses pairs du monde de la finance, il s'est demandé comment Lacroix s'y prenait pour élever Norbourg au rang des firmes de placement de gestion privée de moyenne importance. Lacroix faisait des acquisitions et doublait la taille de Norbourg. Où prenait-il tout son argent pour faire des acquisitions à ce rythme infernal? À cette question, Lacroix répétait qu'il était seul dans son bateau, qu'il ne bénéficiait pas de l'apport de fortunés partenaires investisseurs.

« Il répétait plutôt que c'était avec l'argent de la famille qu'il faisait évoluer Norbourg, en plus des revenus tirés de la gestion interne. C'était bien difficile à décoder », explique Michel Nadeau. Il n'était pas le seul à douter. « On se disait tous, dans le milieu, qu'il allait droit dans le mur. Sur la rue, on racontait que ce gars-là allait trop vite », rappelle-t-il. « Tout le monde prévoyait un dépôt de bilan [faillite] à un moment donné », se souvient-il.

Aller trop vite était un euphémisme, dans le cas Vincent Lacroix. Il n'y avait aucune trace de partenaires-investisseurs de renom dans son entourage. Tout se faisait par acquisitions. Avec l'argent de qui? Nul ne le savait à l'époque.

Michel Nadeau, aujourd'hui à la tête de l'Institut sur la gouvernance des organisations publiques et privées, avait joué un rôle de premier plan, en 1997, dans l'élaboration d'une stratégie visant à faire intervenir la Caisse plus activement dans l'industrie des fonds communs de placement. Il avait toutefois émis des réserves quant au réel potentiel de développement de ce secteur d'activités au Québec. Il avait tout de même participé avec le PDG de la Caisse, Jean-Claude Scraire, à la mise sur pied de la filiale Services financiers CDPQ. L'objectif, à ce moment-là, consistait à lancer la Caisse sur un terrain financier presque vierge. Il s'agissait alors de « retenir » l'épargne des Québécois, qui était « exportée » vers Toronto et l'étranger.

L'ambitieux projet avait été soumis à Jean-Claude Scraire par le premier ministre Bernard Landry, accompagné de son sous-ministre de l'époque, Jean Saint-Gelais, qui deviendra plus tard PDG de l'Autorité des marchés financiers.

Le projet du gouvernement du Québec de créer une industrie du placement, à la fin des années 1990, ne faisait pas l'unanimité au sein de la Caisse. Le conseil d'administration avait demandé l'opinion de deux experts dans le secteur financier au Québec: l'ex-ministre de l'Industrie, Rodrigue Biron, et le premier vice-président de la Caisse, Michel Nadeau. Ce dernier dira: « Je n'étais pas à l'aise avec ce projet de filiale dans les services financiers. Je jugeais qu'il n'y avait pas suffisamment d'entrepreneurs de calibre, au Québec, pour monter des firmes de fonds communs de placement, et pour justifier une telle implication dans une industrie où la concurrence était déjà rude. Les quelques cas de gestionnaires qui réussiraient en profiteraient pour vendre leur boîte de placement et aller se la couler douce en Floride. C'est malheureusement ce qui arriva ». Biron partageait le même avis que Nadeau. Les deux hommes ont défendu leur point de vue du mieux qu'ils ont pu, répétant qu'il valait mieux ne pas s'aventurer sur ce terrain. Mais un haut dirigeant de la Caisse, Serge Rémillard, se sera montré plus convaincant et l'aventure dans les produits financiers sera lancée. Rémillard était alors premier vice-président administration et contrôle de la Caisse. Il avait été directeur général du Parti libéral du Québec (PLQ). Il se retrouvera à la tête de Services financiers CDPQ. Certains ont compris, à ce moment-là, qu'il avait obtenu le feu vert de son patron, le PDG de la Caisse, Jean-Claude Scraire. En 1997, la Caisse de dépôt et placement du Québec créera Services financiers CDPQ et confiera à la filiale l'ambitieux mandat de créer une industrie « locale » dans les fonds communs de placement qui verrait à créer, gérer et distribuer des « produits québécois ».

Michel Nadeau quittera la Caisse au début de septembre 2002, peu après l'arrivée du PDG, Henri-Paul Rousseau. Beaucoup d'eau allait couler sous les ponts après son départ. Michel Nadeau allait poursuivre sa carrière, intervenant de manière remarquable dans plusieurs dossiers économiques d'actualité.

Jean-Claude Scraire a été PDG de la Caisse de dépôt et placement du Québec pendant sept ans, jusqu'en 2002. Il n'était plus en poste quand Vincent Lacroix a mis la main sur les Fonds Évolution. Comme on l'a vu, Jean-Claude Scraire a joué un rôle très actif dans l'industrie des fonds communs au Québec. Il n'a toutefois pas fait l'unanimité dans ce secteur d'activités où les opinions varient en fonction des intérêts des uns et des préoccupations des autres. L'ex-PDG devenu consultant tient à préciser qu'il n'a pas « bien connu » Vincent Lacroix. Il soutient avoir observé, à distance, la progression de Norbourg. À la toute fin de Norbourg, en juillet 2005, il avait été approché par Lacroix pour mettre en place un conseil d'administration crédible au sein de la firme de placement. Il avait rencontré à ce sujet, notamment, le vice-président finances, Jean Hébert, qui venait de remplacer Éric Asselin. Vincent Lacroix était alors dans la ligne de mire de l'AMF et il tentait par tous les moyens d'offrir une image plus saine de son entreprise. Jean-Claude Scraire avait eu du mal à comprendre la structure corporative de Norbourg, avec toutes ces filiales. Nous avons jugé utile de lui soumettre une série de questions, par courriel, au cours de l'hiver 2009.

Q : Pensez-vous que les victimes reverront leur argent ?

R : Je ne connais pas suffisamment le dossier pour savoir s'il reste des valeurs. Mais [ces valeurs ne sont] certainement pas suffisantes pour que chacun récupère les pertes actuellement prévues.

Q : Il s'en trouve – et ils sont nombreux – parmi les investisseurs floués pour critiquer la transaction controversée qui a permis à Vincent Lacroix de mettre la main sur les Fonds Évolution et Capital Teraxis. La vente s'est faite en mode *fast track*, en seulement 35 jours. Avec le recul, jugez-vous que la Caisse aurait dû agir autrement dans ce dossier ? La Caisse avait-elle toutes les informations en main [sur Vincent Lacroix] quand elle a vendu les Fonds Évolution ?

R: TOUTES les informations... certainement pas... mais était-ce son devoir de les avoir? Jusqu'où, en général, un vendeur doit-il s'informer des sources de financement de l'acheteur?

Q: On raconte que l'industrie québécoise des fonds communs de placement s'est pratiquement effondrée depuis le scandale Norbourg. Pourtant, le gouvernement [sous Bernard Landry] avait de grandes ambitions pour ce secteur d'activités. On parlait de créer une véritable entreprise « *made in* Québec ». Que s'est-il passé? Cet effondrement aurait-il pu être évité?

R: L'industrie des fonds communs a une certaine importance économique, mais dans un territoire à faible population comme le Québec, c'est surtout celle de la GESTION de fonds qui est importante au point de vue économique. Des cas comme Norbourg et autres, comme Bernard Madoff [arrêté le 11 décembre 2008 pour une fraude de plus de 50 milliards $ US], ne rendent pas la vie facile aux entreprises de gestion qui naissent, même si ce n'est pas la « gestion » professionnelle qui a causé ces pertes majeures, mais bien la fraude des promoteurs. On constate aussi, avec Madoff, que la fraude n'est pas l'apanage des petits...

Q: Vous n'étiez plus PDG de la Caisse, on le sait, quand les Fonds Évolution et Capital Teraxis ont été vendus à Vincent Lacroix. On ne refera pas l'histoire. Mais si vous aviez été en poste à ce moment-là, auriez-vous imité le geste de votre successeur, Henri-Paul Rousseau, qui a commandé la vente des fonds de la Caisse? Cette décision vous a-t-elle contrarié à l'époque?

R: J'avais favorisé une stratégie d'investissements rentables dans le secteur financier québécois afin d'en appuyer le développement. Il est clair que je n'aurais pas changé de cap, ni dans ce secteur ni dans d'autres dont, après mon départ, la Caisse s'est retirée. Quand on développe des stratégies à long terme, il y a souvent des ajustements à apporter et il ne faut pas craindre de le faire; mais la pire erreur est d'interrompre une stratégie avant qu'elle ait connu un cycle suffisant pour en juger les résultats. Par ailleurs, je ne sais pas si des raisons spécifiques commandaient de se délester de cet investissement particulier.

Q: Avez-vous connu Vincent Lacroix alors qu'il était le PDG flamboyant de Norbourg? On sait que le financier a travaillé pendant quelques années à la Caisse, sous les ordres de Michel Nadeau. Avez-vous déjà eu confiance en Vincent Lacroix? Avez-vous déjà douté de son honnêteté, durant votre mandat à la Caisse, mais aussi après votre mandat à la Caisse? Quels étaient vos rapports avec le président de Norbourg avant le scandale? Et après, comment avez-vous réagi? A-t-il tenté de vous convaincre qu'il n'était pas responsable de ce gâchis?

R : Je n'ai aucun souvenir de M. Lacroix quand il était à la Caisse; j'ai été surpris d'apprendre qu'il y avait déjà travaillé, comme stagiaire, dit-on. Je ne lui ai jamais parlé depuis le déclenchement de l'affaire, le 25 août 2005. En 2004-2005, il m'avait demandé – à la suggestion de gens de bonne foi qui l'entouraient – de l'aider à constituer un conseil d'administration qui pourrait encadrer les opérations de son groupe. C'était une très bonne suggestion de ces gens, une bonne idée qui est malheureusement arrivée trop tard et qui n'a jamais pu se réaliser. Aujourd'hui, je comprends pourquoi je n'ai jamais reçu les rapports d'opérations et tous les documents nécessaires qu'il aurait fallu remettre à des membres d'un conseil d'administration pour qu'ils acceptent cette responsabilité et soient en mesure de faire leur travail par la suite. Pour cette raison, il n'a pas été possible de mettre sur pied ce conseil d'administration.

En 2005, il était bien tard. S'il y avait eu, depuis le début, un conseil d'administration et un comité de vérification composés de membres totalement indépendants dans cette entreprise, très probablement que ces manipulations de fonds et fraudes ne seraient pas arrivées... C'est une constatation qu'on doit retenir, à mon avis, lorsque des entreprises gèrent l'argent de tiers ou du public : si ce n'est pas dans la réglementation, ça doit être évalué comme un facteur majeur par l'investisseur, le client ou le conseiller professionnel du client dans sa décision de confier ou non des fonds à cette entreprise. Des membres indépendants et dont la qualité est reconnue : mais, évidemment que la tromperie est toujours possible, même avec un conseil compétent, comme [le scandale] Enron l'a bien démontré.

Q : Nous savons tous que l'affaire Norbourg n'est pas terminée. On s'attendait à un procès criminel à l'automne 2009, où allaient comparaître les présumés complices de Vincent Lacroix. Ce n'est ni Lacroix ni ses collaborateurs qui vont rembourser les victimes. Mais, selon vous, qui pourrait faire un chèque aux investisseurs floués? Attribuez-vous une part de responsabilités aux grandes firmes qui ont contribué, sans doute involontairement, sans doute aussi par incompétence, à cette fraude? Le gouvernement devrait-il signer un chèque aux victimes, en guise de dédommagement pour les « erreurs » commises, notamment, par la Caisse de dépôt, qui a vendu Évolution à Lacroix ?

R : Je suis avocat de formation et je suis porté à dire qu'il faut s'en remettre aux tribunaux pour établir des responsabilités. Dans le cas d'une indemnisation demandée au gouvernement, si on ne se fie pas aux tribunaux, le problème est de décider pourquoi indemniser dans un cas et pas dans l'autre. Car on le sait, il n'y a pas juste Norbourg malheureusement. Vous en avez certainement d'autres à l'esprit.

Q : Vous n'êtes plus à la Caisse de dépôt. Votre carrière a pris une nouvelle direction. Vous êtes néanmoins un observateur de premier plan de tout ce qui touche aux placements et aux investissements au Québec, mais surtout à l'international. Comment voyez-vous l'avenir de cette industrie au Québec ?

R : Il n'y a pas actuellement de véritable stratégie collective qui soit mise en œuvre dans ce secteur…

Q : Les petits investisseurs sont-ils à l'abri de fraudes du genre de celle de Norbourg ? Jugez-vous que l'AMF a les moyens, les outils, pour pincer des auteurs de fraudes de la trempe de Vincent Lacroix ? Que dites-vous du projet fédéral d'une agence de surveillance des marchés financiers ?

R : On a vu, avec Madoff, que même la SEC (Securities and Exchange Commission), aux États-Unis, peut échapper des cas importants de fraudes, ça donne à réfléchir sur la capacité de fraudeurs habiles… le moyen ultime est dans l'intelligence, la compétence, l'expertise et l'expérience des spécialistes des organismes de contrôle et dans l'attention et le temps qu'ils peuvent consacrer aux dossiers et notamment aux dossiers suspects. Finalement, à l'habileté des fraudeurs il faut opposer l'habileté des spécialistes de surveillance et leur capacité d'intervenir rapidement et de préférence dès le début. Dans le cas particulier de l'AMF, les budgets devraient permettre d'embaucher à des salaires nettement plus élevés pour obtenir le niveau d'expérience et d'expertise nécessaires. On ne parle pas d'augmentation de l'échelle de l'ordre de 20 %, on parle de doubler ou tripler les échelles salariales pour rejoindre le même niveau de compétence et de revenus que le marché privé.

Le projet d'agence fédérale n'apporte rien de plus pour combattre ce type de fraude car si elle avait plus de moyens elle aurait aussi plus de dossiers… Au contraire, la distance et surtout la méconnaissance du milieu et des intervenants qui en résulteraient seraient des faiblesses accrues, des désavantages. Que dirait-on si le projet était de confier toute cette surveillance à la SEC américaine, vu qu'elle est plus importante, a plus de ressources et que les marchés sont assez interconnectés? Une agence fédérale unique, à un degré à peine moindre, est de même nature. Le Québec a donc raison de garder son organisme de réglementation.

Il aurait été difficile d'ignorer les commentaires cinglants formulés dans les médias par le réputé gestionnaire Stephen Jarislowsky sur l'affaire Norbourg. Le gestionnaire n'a pas investi dans Norbourg, on le devine bien, mais il sait de quoi il retourne. La firme qu'il dirige, Jarislowsky Fraser, faisait partie des gestionnaires externes des Fonds Évolution jusqu'à ce que Lacroix s'empare de Capital Teraxis. Cette firme était gestionnaire de ces fonds, au même titre que Montrusco Bolton et Addenda Capital. Vincent Lacroix, une fois propriétaire des lieux, a rapatrié toute la gestion sous le toit de Norbourg, histoire de mieux dilapider, par la suite, les épargnes de ses clients. Stephen Jarislowsky, qui en a vu d'autres du haut de ses 83 ans, sympathise avec les victimes de Lacroix.

« C'est bien triste pour ces gens-là qui ont perdu, dans bien des cas, toutes leurs économies », déplore le gestionnaire reconnu pour son franc-parler. Il n'a pas une très haute opinion de Lacroix, qui n'avait « rien d'un génie », dit-il. Il ajoute : « Le bonhomme n'était pas une personne très intelligente, pas très rusée non plus. Il m'a même semblé qu'il savait qu'il serait pris à son propre jeu. »

Stephen Jarislowsky constate que le scandale Norbourg est une goutte d'eau dans l'océan financier comparé aux mégascandales qui secouent la planète. Mais c'est aussi une affaire de bêtises, d'abus et d'incompétences. Jarislowsky reconnaît néanmoins que cette affaire a touché « de trop nombreuses victimes » qui n'avaient pas décidé de leur propre chef d'investir chez Lacroix. Norbourg, ce n'est pas ce qu'on peut appeler un scandale impliquant de riches investisseurs.

Jarislowsky souhaite, pour cette raison, que ces gens-là récupèrent les montants perdus, mais il doute que les poursuites entamées se concluent en leur faveur. « Ce sont plutôt les avocats qui vont gagner au change, à la fin, avec tous ces recours devant les tribunaux pour obtenir justice. Les petits [investisseurs] dépensent des fortunes en frais d'avocats, mais rien ne bouge véritablement », ajoute le gestionnnaire.

Il doute par ailleurs des moyens mis à la disposition des autorités de surveillance, comme l'AMF, pour menotter les escrocs de la finance. « Je déplore cette faiblesse. Il y a fort à parier que le scandale Norbourg, même s'il a été très médiatisé, ne fasse avancer les choses. On risque de continuer à banaliser les fraudes de cette nature pour la bonne raison que les coupables ne sont jamais punis comme il se doit », insiste-t-il.

Mais comment faire, alors, pour mieux protéger les dollars investis par les épargnants ? Le gestionnaire qui a créé en 2007 la Coalition canadienne pour une bonne gouvernance au sein des grandes entreprises n'est pas très optimiste. « Il faudrait d'abord que les firmes de vérification comptable fassent beaucoup plus que regarder les chiffres de la compagnie ! Ces comptables ne posent pas de questions. Ils font le travail pour lequel ils sont payés. Pas étonnant qu'ils ne découvrent rien », dit-il sur un ton lapidaire.

Et les investisseurs ? Quels moyens peuvent-ils prendre pour trouver la bonne firme et le bon courtier qui prendra soin de leurs avoirs ? Ne comptez pas sur Stephen Jarislowsky pour répondre à cette question. « À vrai dire, pour un investisseur, c'est bien difficile de trouver le meilleur endroit où investir son argent. Les liens de confiance ont été rompus, et ce n'est pas avec des scandales à la Norbourg qu'on va rétablir la confiance », tranche-t-il.

Il ne minimise pas le drame « québécois » que vivent les investisseurs floués de Norbourg, bien au contraire. Mais il s'étonne de voir qu'aux États-Unis, de l'autre côté de la frontière, des fraudes autrement plus gigantesques font la manchette.

La fraude chez Norbourg atteint 130 M$ tandis que celle du financier américain Bernard Madoff dépasse les 50 milliards $ US. « Je ne croyais jamais voir, de mon vivant, une fraude de cette ampleur. C'étaient pourtant des investisseurs intelligents et fortunés », dit-il au sujet des combines du financier new-yorkais.

Le gestionnaire montréalais n'en démord pas : il faudra renforcer la surveillance dans l'industrie du placement au Québec et dans l'ensemble du pays, si on veut pincer les financiers fraudeurs.

« Mais tant que le gouvernement Harper ne prendra pas les moyens nécessaires pour créer une " police nationale forte ", une Commission nationale des valeurs mobilières capable d'agir tant au criminel qu'au civil, les petits investisseurs vont continuer de se faire voler par ces escrocs sans scrupules », déplore-t-il.

Selon lui, la protection des investisseurs passe donc par cette Commission nationale à qui seraient conférés des « pouvoirs d'intervention illimités ».

« Il est temps de cesser de tergiverser dans le débat entourant la création d'une vraie Commission nationale qui aurait les pleins pouvoirs d'intervenir rapidement contre les escrocs de la finance », insiste le gestionnaire.

Il ajoute qu'un virage radical s'impose mais il constate que les provinces résistent. « Elles devront mettre de côté leur esprit de clocher si elles veulent se donner véritablement les moyens de lutter contre les fraudes financières et économiques », ajoute-t-il.

Il croit qu'il faudra redéfinir le rôle des Commissions des valeurs mobilières, telles qu'on les connaît dans les provinces canadiennes.

La proposition du gestionnaire Jarislowsky n'entraînerait pas, selon lui, la disparition de l'AMF au Québec. « Nous pouvons très bien accueillir une Commission nationale sans éliminer l'Autorité des marchés financiers. L'AMF pourrait apporter sa contribution au sein de la grande Commission, au même titre que les autres commissions provinciales en Ontario, en Alberta, en Nouvelle-Écosse ou ailleurs au pays », souligne le gestionnaire.

Jusqu'à présent, le projet d'un organisme de régulation « central » a fait l'objet de vives et nombreuses oppositions dans les provinces canadiennes, que ce soit en Alberta, en Ontario ou au Québec. Il reste à voir si les interventions de gestionnaires de la trempe de Stephen Jarislowsky seront entendues jusqu'à Ottawa.

Au milieu des années 1990, alors vice-premier ministre avant de succéder à Lucien Bouchard en tant que chef du Parti québécois, Bernard Landry souhaitait voir le Québec se distinguer dans le monde financier. « L'industrie québécoise des fonds communs de placement s'en allait en Ontario. On voulait faire venir des fonds au Québec pour donner plus de poids à Montréal dans le secteur de la finance », se souvient-il.

Des mesures seront prises. Au terme de consultations menées auprès de dirigeants de la Caisse de dépôt et de placement du Québec, on lancera Services financiers CDPQ. « On avait créé un Comité des sages [en 1995] pour mener à terme ce projet », se rappelle Bernard Landry.

Le gouvernement péquiste mettra en place des programmes destinés à encourager les nouvelles firmes de placement québécoises dans le marché financier. On rêve alors à une industrie « made in Québec » pour rivaliser avec l'Ontario et les États américains voisins, mais surtout pour mettre fin à la « déportation de l'épargne des Québécois ».

Pour soutenir les distributeurs de fonds au Québec, la Caisse crée la filiale Capital Teraxis, dont elle est l'actionnaire majoritaire, et injecte 5 M$. Services financiers CDPQ prendra part à la création de Capital Teraxis ainsi qu'à une série d'acquisitions dans le domaine des fonds communs, notamment Services financiers Tandem, Planification Plus, Plani-Gestion Quatre-Saisons et Fonds mutuels Valorem.

Services financiers CDPQ (filiale de la Caisse de dépôt et placement du Québec) aura pour mission, au départ, d'« accroître de façon significative l'actif des fonds gérés au Québec ».

À cette époque, le président de CDP Participations, filiale de la Caisse de dépôt et placement du Québec, Claude Séguin, affirmera qu'il y a « de la place pour [les firmes] qui savent s'adapter et ont la bonne stratégie ». C'est au moment où la Caisse investit de gros montants pour favoriser l'émergence de petites firmes québécoises dans une industrie où les marges de manœuvre financières sont minces. On voit la Caisse prendre des participations dans plusieurs petites sociétés, par l'entremise de sa filiale CDP Services financiers.

Marie Desroches, à la tête de Fonds Évolution, souhaitera pour sa part pénétrer le réseau des courtiers en valeurs mobilières avec la distribution de ces fonds par des joueurs du calibre de Merrill Lynch, Financière Banque Nationale, Valeurs mobilières Desjardins.

Fonds Évolution aura trois démarcheurs à temps plein qui feront des présentations aux représentants de ces firmes, de même que dans le réseau de distribution des planificateurs financiers. Évolution fera la promotion de fonds « montréalais » et jouera la carte du Québec.

« Tous nos fonds sont gérés à l'externe par des gestionnaires québécois », dira alors la présidente d'Évolution. Cette firme confiait alors ses mandats de gestion à Montrusco Bolton, Jarislowsky Fraser et Addenda Capital. Les intentions étaient louables. Évolution lancera même une famille « québécoise » : les Fonds Québec, qui n'investissent que dans des entreprises locales.

Un sondage commandé par Évolution révélera que 50 % des clients interrogés se montrent intéressés par des produits québécois, à compétence et à rendement comparables, bien entendu. Ces clients potentiels se heurteront cependant à un obstacle de taille : ils ne connaissent pas assez bien ces « produits locaux ».

« C'est facile à vendre, mais le problème, c'est que nos moyens sont limités et que la mise en marché coûte une fortune », fera encore remarquer Marie Desroches. Elle pressera le gouvernement de venir en aide aux firmes de fonds communs de placement québécoises « en adoptant des programmes comme celui des RÉE (Régimes d'épargne-actions) ».

En juillet 2001, deux mois à peine avant les attentats terroristes du 11 septembre, l'industrie des fonds communs de placement québécoise sera soumise à une très forte pression. Le marché est saturé et encombré par la présence de gros joueurs. La bataille est ardue pour les petits joueurs qui se sont aventurés dans la cour des grands avec des outils financiers inadaptés. Les fonds communs de placement « fabriqués au Québec » vont écoper.

C'est dans ce contexte économique incertain que Vincent Lacroix obtiendra du gouvernement du Québec sa subvention de près d'un million de dollars à l'automne 2001[52]. « On ne pouvait savoir qu'il allait devenir un voleur. On ne pouvait imaginer qu'il était un fraudeur quand il a fait sa demande de subvention », réfléchira après coup l'ex-premier ministre Bernard Landry[53].

C'est toutefois à compter de 2002 que le rêve de voir se déployer une industrie du placement s'évanouira lentement. Au Québec, on n'avait plus la foi. Des wagons commenceront à se détacher de la locomotive aux couleurs de la Caisse. Celle-ci se départira d'abord du fabricant de fonds StrategicNova, au profit de Gestion de patrimoine Dundee, de Toronto. Elle vendra par la suite Partenaires Cartier, alors considéré comme l'un des principaux distributeurs indépendants de fonds communs, de valeurs mobilières et de produits financiers au pays.

En août 2003, la Caisse amorcera le processus de vente de Capital Teraxis, un courtier en épargne collective et un distributeur de fonds communs de Québec. Teraxis possédait alors un réseau de 700 représentants et gérait des actifs de 1,9 milliard $, mais le distributeur de fonds n'était pas rentable. Un programme de réduction de dépenses mis en place pour corriger la mauvaise trajectoire ne produira pas les résultats escomptés.

Ce sera la fin d'un « rêve » économique et politique. On renoncera alors à l'objectif, ambitieux, il va sans dire, de faire passer de 10 à environ 50 % la proportion des fonds communs de placement détenus par des Québécois et gérés au Québec. Cet objectif devait permettre de gonfler à 75 milliards $ la gestion de fonds au Québec d'ici 2008. C'est de cette manière que la Caisse de dépôt voyait les choses, dans son rapport annuel… 1999.

Le « beau risque » du gouvernement dans l'industrie du placement fait partie du passé. Mais les investisseurs floués chez Norbourg

---

52. Le gouvernement du Québec voulait encourager la création de fonds communs de placement « made in Québec » en couvrant 50 % des dépenses admissibles, jusqu'à une limite de 250 000 $ par fonds.

53. Bernard Landry a commenté le dossier Norbourg en janvier 2009.

ne sont pas près d'oublier l'incursion ratée de la Caisse de dépôt dans les fonds communs de placement.

Bernard Landry, redevenu professeur d'économie à l'UQAM, reconnaît que les victimes de Norbourg souffrent énormément. Il n'est pas insensible à leurs malheurs.

« Un de mes ex-confrères de classe, à l'université, a perdu l'argent de sa retraite dans cette fraude. C'est terrible », dira-t-il. L'ex-politicien croit néanmoins que les scandales financiers, comme celui de Norbourg, vont contribuer, par la force des choses, à rendre « beaucoup plus vigilants » les épargnants. Si ce n'est déjà fait.

« Nous ne pouvons plus faire confiance aveuglément au capitalisme. Ces temps sont révolus. Il faudra désormais enseigner l'éthique et la morale », insiste-t-il.

Serait-il favorable à ce que le gouvernement du Québec et l'AMF dédommagent les victimes, de façon à éviter de longs et coûteux recours devant les tribunaux ? « Il faudrait pour cela que la responsabilité de l'un et de l'autre [la Caisse de dépôt et l'AMF] soient prouvées hors de tout doute raisonnable. Cela n'apparaît pas facile à démontrer », expose-t-il.

Bernard Landry n'est pas prêt à condamner l'AMF, même si l'organisme de régulation a été pointé du doigt à maintes reprises pour avoir présumément tardé à intervenir dans l'affaire Norbourg.

« L'AMF n'a pas fait pire que d'autres, dans des scandales autrement plus considérables, qu'on pense à l'affaire Bernard Madoff [l'ex-patron de Nasdaq] aux États-Unis », fait-il remarquer à son tour. Il plaide lui aussi en faveur d'une « réglementation encore plus sévère, comme aux États-Unis », et il souhaite que l'État québécois ait à l'œil les bandits de grands chemins.

« Mais nous ne devons pas renoncer à développer notre secteur financier pour autant. La crise financière est terrible, on le voit, mais il y aura des opportunités quand les nuages se seront dissipés, et que le climat de confiance sera rétabli », dira l'ex-premier ministre péquiste.

Cette confiance demeure bien fragile quand on est un investisseur floué par le système. Ceux qui ont travaillé sur le dossier Norbourg l'ont constaté jour après jour...

Marie Desroches, qui a participé à la vente de Fonds Évolution à Vincent Lacroix, en décembre 2003, est bien placée pour en parler.

« Il y a des membres de ma famille, des cousins, des amis, qui détenaient des fonds Évolution avant la transaction avec Norbourg, et qui font partie des investisseurs floués. C'est bien triste », nous révélera-t-elle dans une très rare entrevue, le 17 septembre 2009.

Marie Desroches avait incité des membres de son entourage à acheter ces fonds à l'époque où elle était à la tête de Fonds Évolution. « C'était ma firme. J'y croyais. Mais tout s'est écroulé à compter de 2004 quand Vincent Lacroix en a pris possession de la pire façon », déplore-t-elle encore aujourd'hui.

Si elle avait cru à l'aventure des fonds communs de placement gérés par des firmes québécoises, elle est obligée d'admettre que les objectifs de croissance n'ont pas été atteints.

« Quand j'ai vendu Évolution à Capital Teraxis en 2001, j'avais espoir que les actifs sous gestion augmentent rapidement. J'avais moi-même conservé une importante quantité de fonds parce que j'avais confiance », soulignera-t-elle.

Marie Desroches a eu le temps de retirer ses fonds dans Évolution avant que Vincent Lacroix ne les dilapide. « Mais j'aimerais bien que mes proches qui ont perdu de l'argent soient indemnisés dans un avenir pas trop lointain », tient-elle à préciser.

Le syndic Gilles Robillard, associé chez RSM Richter, a saisi toute l'ampleur de l'affaire Norbourg. Il a consacré un nombre incalculable d'heures à ce dossier. Il s'est même rendu chez Vincent Lacroix, dans sa maison de Candiac, lors des interrogatoires visant à déterminer, entre autres, d'où provenaient les documents fournis par l'ex-PDG de Norbourg.

Il a accumulé des boîtes de documents et plusieurs milliers de pages de transcriptions. Gilles Robillard a été présent lors des interrogatoires menés à compter d'octobre 2006 et qui se sont poursuivis jusqu'au début de 2007. Flanqué des procureurs du syndic, Me Denis St-Onge et Me Patrice Benoît, du cabinet Gowling Lafleur Henderson, il a vu défiler devant lui les principaux acteurs. Nous lui avons soumis une série de questions.

Q : Depuis l'éclatement du scandale, il s'est dit beaucoup de vérités et de demi-vérités. Il a été dit que Vincent Lacroix était un grand stratège ; qu'il contrôlait tout. Mais était-il, à vos yeux, un aussi brillant fraudeur qu'il y paraissait ?

R : Non. Mais, selon ce que j'ai pu constater, Lacroix a su manipuler le système et tirer avantage du laxisme de plusieurs parties impliquées, de près ou de loin, dans Norbourg. De surcroît, son association avec Éric Asselin lui a permis de connaître à fond les procédures mises de l'avant par les inspecteurs de la CVMQ et du gouvernement. Ainsi, Lacroix a été en mesure de préparer les documents nécessaires pour satisfaire aux exigences liées aux inspections de routine de la CVMQ.

Q : Lacroix a-t-il eu à réaliser des manœuvres sophistiquées pour voler l'argent des investisseurs ?

R: Non. Il n'a eu qu'à retirer les fonds des investisseurs, les déposer dans les comptes des diverses sociétés Norbourg et ensuite signer des chèques pour acheter ce qu'il désirait.

Q: Semblait-il ébranlé, accablé, lors des interrogatoires d'octobre 2006?

R: Non. Je dirais même, qu'au contraire, il continuait à clamer qu'il n'avait rien fait de bien différent de ce qui se fait dans d'autres sociétés financières comparables... Il m'a même dit que s'il avait disposé de quelques mois additionnels, et si la GRC et l'AMF n'étaient pas débarquées chez Norbourg en août 2005, il aurait pu rembourser la totalité des investisseurs. Il attribue donc le problème aux autorités plutôt qu'à ses propres agissements.

Q: Le scandale Norbourg était-il inévitable?

R: Je ne crois pas que les petits investisseurs auraient pu faire quoi que ce soit de différent pour éviter de se faire détrousser. Ces investisseurs n'avaient pas accès à toute l'information pour se prémunir.

Q: Les organismes de surveillance auraient-ils pu protéger les investisseurs floués?

R: Il semble que le système a failli à sa tâche et ce, même si cette fraude n'était pas ce qu'il y avait de plus raffiné. Souvenons-nous que certains investisseurs ne savaient apparemment pas que leurs avoirs n'étaient plus sous le contrôle de la Caisse de dépôt et placement du Québec.

Q: Les projecteurs ont été braqués sur Vincent Lacroix durant son procès au pénal. On a aussi donné la parole à son bras droit, Éric Asselin. Est-ce qu'Éric Asselin, qui est en liberté, aurait dû se retrouver lui aussi derrière les barreaux pour avoir falsifié les documents?

R: Il est évident que, sans la contribution d'Asselin, Lacroix n'aurait pas survécu jusqu'au 25 août 2005. Les investisseurs auraient perdu de l'argent, mais beaucoup moins. Cependant, en aucun cas ne devrait-on conclure que Lacroix a été victime d'Asselin. Les deux ont tiré bénéfice des gestes qui ont été posés, et ils étaient conscients des conséquences. Asselin a toutefois profité du système pour ne pas subir le même sort que Lacroix. Pour cette raison, Asselin aurait dû faire face aux mêmes accusations. Mais les deux hommes ont été assistés par plusieurs autres collaborateurs et tous devraient en payer le prix.

Q : Ressentez-vous de la frustration quand vous réalisez que les investisseurs demeurent les plus grandes victimes de l'affaire Norbourg ?

R : Une infime partie des montants évaporés dans cette affaire a été retournée à un certain nombre d'investisseurs. Mais il y a encore de très fortes sommes en jeu qui n'ont pas été versées.

Q : Selon vous, les victimes de Norbourg peuvent-elles espérer être entièrement dédommagées à la fin du processus ? Y a-t-il une lumière au bout du tunnel ? Un dénouement heureux est-il encore possible ?

R : Heureux ? Pas vraiment. Néanmoins, au travers des différentes poursuites et recours collectifs, je crois que les investisseurs ont de bonnes chances de récupérer une bonne portion de leur capital perdu. Il faut craindre, cependant, que le dossier mettra du temps, beaucoup de temps, avant d'être réglé. On peut questionner, par ailleurs, la latitude dont bénéficient les dirigeants du secteur financier, souvent libres de faire comme s'ils étaient au-dessus des lois.

Q : Quel jugement portez-vous sur la façon dont les peines sont infligées pour les crimes commis par ces financiers ?

R : Malheureusement, les législateurs canadiens considèrent qu'en l'absence de violence, seulement le sixième d'une peine devrait être purgé par les coupables. Dans le cas qui nous intéresse, la peine subie par les petits investisseurs est beaucoup plus contraignante que celle purgée par Lacroix et ses acolytes. Ces investisseurs devront en payer le prix pendant des années, et pour certains, pour le reste de leurs jours. Dans plusieurs autres législations étrangères, des crimes qui s'apparentent à celui de Norbourg sont jugés beaucoup plus sévèrement. On peut citer en exemple la lourde sentence imposée aux dirigeants de la société Enron, aux États-Unis. Tant que les législateurs canadiens ne prendront pas plus au sérieux les crimes économiques, on verra d'autres Norbourg sur notre écran radar…

Comme on l'a vu précédemment, Me Denis St-Onge, associé chez Gowling Lafleur Henderson, assisté de son équipe, a agi à titre de procureur du syndic RSM Richter à l'égard de toutes les sociétés du Groupe Norbourg mises en faillite. Avec son associé, Me Patrice Benoît, il a interrogé Vincent Lacroix pendant plus de cinq jours tout comme la plupart des acteurs dans le dossier Norbourg. Nous lui avons soumis quelques questions.

Q : Qu'est-ce qui vous a le plus surpris au terme de ces interrogatoires et de l'analyse des documents ?

R : Quatre éléments m'ont vraiment surpris.

1) La facilité avec laquelle Vincent Lacroix a pu retirer l'argent dans les fonds et l'utiliser à d'autres fins.

Je croyais que Vincent Lacroix aurait mis en place un système extrêmement sophistiqué de transferts de fonds qui auraient cheminé par des paradis fiscaux ou d'autres pays pour disparaître ou se transformer en investissements plus ou moins difficiles à retracer et à localiser. Ce n'était pas du tout le cas. Vincent Lacroix n'avait qu'à donner un ordre de paiement ou faire un chèque et si cet ordre ou ce chèque était fait par l'une des deux personnes autorisées auprès du gardien de valeurs, les fonds étaient acheminés à l'endroit requis et même, dans certains cas, les fonds étaient transférés dans des comptes de banque ouverts aux noms de personnes autres que les gestionnaires des fonds. Il y a bien eu ce qu'on a appelé « le compte fantôme », mais ce compte n'était pas vraiment caché puisqu'il était ouvert au nom de l'une des sociétés du Groupe Norbourg et il était facilement accessible. Si on avait demandé à l'institution financière concernée d'indiquer la liste des comptes ouverts, ce compte aurait immédiatement sauté aux yeux.

Sauf pour certains fonds pour lesquels il y avait un fiduciaire externe, Vincent Lacroix contrôlait, via l'une ou l'autre de ses sociétés, le promoteur du fonds, le gestionnaire du fonds, le conseiller du fonds, le fiduciaire du fonds et, à compter d'avril 2004, l'agent de transfert. Ce cumul des fonctions semble découler d'une pratique courante et acceptée à l'époque et probablement encore aujourd'hui dans le domaine des fonds communs de placement. En fait, il s'agit d'un conflit d'intérêts permis et reconnu. Il y avait peu de tierces parties pour agir comme bouclier indépendant pour empêcher la fraude. Certes, il y avait le gardien de valeurs ainsi que le vérificateur des fonds (le C.A.). Le tribunal, dans le recours collectif, aura certainement à déterminer la nature et l'étendue de leurs obligations envers les investisseurs, mais ce ne sont certainement pas les policiers, ni les surveillants du système. Si on veut maintenir dans le marché actuel un tel système, il faut, soit avoir une confiance absolue dans l'intégrité et la solvabilité de ceux qui gèrent les fonds, soit un régulateur extrêmement efficace qui a tous les outils nécessaires et également les moyens pour quasiment prévenir les fraudes ou les déceler très rapidement.

2) La facilité avec laquelle la fraude Norbourg aurait pu être décelée rapidement.

Il aurait fallu que quelqu'un, dès 2002, puisse comparer les états provenant de Norbourg (ou de chacun de ses fonds) avec les états des gardiens de valeurs pour se rendre compte immédiatement du trou. On l'a fait en août 2005 après la fermeture et les perquisitions chez Norbourg et on a tout de suite compris qu'il manquait environ 130 M$. On n'avait pas nécessairement besoin d'analyse comptable complexe ni de vérifier l'ensemble des livres internes des sociétés du Groupe Norbourg. Il suffisait de vérifier où était le *cash*.

3) La dissimulation.

L'effort considérable mis par les dirigeants de Norbourg pour dissimuler la véritable situation financière et répondre faussement aux inspections de l'Autorité des marchés financiers est hors de toute proportion. On a créé un logiciel « à faux ». On a fabriqué de faux états de comptes, de faux contrats, de fausses factures, de faux revenus, de faux états financiers, de faux courriels, de faux états de banques. Pour justifier la richesse de Vincent Lacroix on a même fait une fausse divulgation volontaire et ensuite utilisé une somme de plus de 6 M$ des investisseurs pour la transmettre à Revenu Québec.

Là aussi, si toute cette dissimulation et cet écran de fumée n'avaient pas été mis en place dès 2002, Vincent Lacroix n'aurait pas survécu six mois à ses stratagèmes.

4) Les largesses de Vincent Lacroix.

Plusieurs personnes ont profité des largesses de Vincent Lacroix, que ce soit certains membres de sa famille, ses collaborateurs, des employés et même des tiers. Pour devenir le plus important dans son domaine, Vincent Lacroix n'a pas hésité à dépenser sans compter. Aussi, il faisait des acquisitions pour « grossir » son entreprise en payant des montants qu'il était difficile de refuser lorsque vous étiez le vendeur. Je ne pense pas que quiconque qui a transigé avec Vincent Lacroix peut prétendre avoir fait un mauvais *deal*, bien au contraire. Ce n'est pas Vincent Lacroix qui traitait avec ses victimes. Peu de ses victimes l'ont connu. D'ailleurs, plusieurs de celles-ci ont vu leurs avoirs transférés dans les unités des fonds gérés par Norbourg sans vraiment savoir de quoi il s'agissait, et dans certains cas pensant qu'ils transitaient dans des fonds très sécuritaires.

Q : Quel jugement portez-vous sur les sentences prononcées pour les crimes commis par ces financiers ?

R : Le problème, ce n'est pas la sentence, c'est surtout le système de libération conditionnelle. Dans le contexte actuel, je crois que les sentences seront appropriées en fonction des législations actuelles. Si on veut modifier le Code criminel et augmenter considérablement la peine maximale de quatorze ans qui y est prévue, et copier ce qui ce fait aux États-Unis, c'est autre chose.

Le système de libération conditionnelle, c'est un choix de société. La société canadienne et québécoise a opté pour un système qui favorise la réhabilitation et non la répression (comme aux États-Unis).

Est-ce que le système de réhabilitation fonctionne ? Je ne le sais pas et je ne suis pas un spécialiste dans ce domaine.

On peut être offusqué que pour les crimes non violents seulement un sixième de la peine soit purgé. Mais alors, on doit s'offusquer aussi que pour des crimes violents et les crimes de pédophilie, on permette également qu'uniquement un tiers de la peine soit purgé.

Toutefois, je ne suis pas certain qu'un système répressif empêche de commettre des crimes. On n'a qu'à penser aux états des États-Unis où la peine de mort est encore appliquée, ça n'a pas pour effet d'empêcher de commettre des meurtres. Je ne pense pas qu'augmenter les peines pour des crimes économiques aura pour effet d'empêcher les fraudes. Le système répressif risque de ne pas être aussi dissuasif que certains le croient. Il y a bien le besoin de « satisfaire la vengeance » des victimes mais ça ne restitue pas leur argent.

C'est aussi une question de priorité sociale. Si tous les condamnés doivent purger leur peine et si on veut également augmenter les peines, on aura de la difficulté à parler de « bonne conduite en prison » et il n'y aura plus aucun incitatif à la réhabilitation. Il faudra nécessairement construire de nouvelles prisons, engager du personnel. Dans quel budget les gouvernements prendront-ils les fonds additionnels requis à cet effet, dans le budget de la santé, de l'éducation ou dans le budget militaire ?

C'est à la société canadienne et québécoise de se prononcer.

QUATRIÈME PARTIE
À L'HEURE DU JUGEMENT

Au cours de son procès pénal[54], Vincent Lacroix tentera en vain de donner l'image d'un PDG confiant, au-dessus de ses affaires, comme au temps où il régnait sur son empire avec ses valets. Le financier ne montrera pas la moindre compassion envers ses victimes. Et il aura paru bien seul avec ses secrets dans la salle d'audience du Palais de justice de Montréal.

Lacroix refusera de prendre le blâme pour ce gâchis. Il jouera toutes les cartes de son jeu, plaidant l'immaturité – et même une consommation excessive d'alcool – pour justifier ses dérives. Il aurait « perdu la tête », a-t-il déjà raconté. Il refusera d'admettre qu'il aurait pu mentir effrontément aux victimes et aux enquêteurs de la CVMQ (devenue l'AMF) en maquillant les chiffres et en vidant les fonds Norbourg et Évolution. Il se contentera d'offrir de timides et plates excuses aux victimes et aux représentants de chez Norbourg. Ce sera son seul acte de contrition. On verra le financier déchu gravir les marches du Palais de justice de Montréal, rue Notre-Dame, transportant deux lourds porte-documents noirs semblant renfermer des informations confidentielles. Dans les couloirs du palais, Vincent Lacroix prendra le temps de répondre aux questions des journalistes. Il ne cherchera pas à éviter les flashes des photographes de presse et la lentille des caméramen des stations de télévision. Il donnera l'impression de jouer le rôle-titre de son propre feuilleton.

Au cours de ce long procès, qui s'étirera sur 50 jours, en plus de nécessiter 30 boîtes de documents, Lacroix connaîtra des moments pénibles, cependant. Certains jours, ses jambes sembleront fléchir sous le poids des questions posées par l'avocat de l'AMF, Me Éric Downs, qui tentera de discréditer le principal témoin dans l'affaire Norbourg.

---

54. L'AMF a poursuivi Vincent Lacroix en vertu du Code pénal pour des infractions commises en vertu de la Loi sur les valeurs mobilières.

Les mains trembleront quelque peu quand Vincent Lacroix cherchera des documents dans son attaché-case. Il donnera l'impression d'être une victime « capable d'en prendre ». Dans la salle d'audience, des « spectateurs » ne comprendront pas comment le financier peut ainsi parvenir à résister aux attaques répétées dirigées contre lui par les procureurs de l'AMF. S'il avait été sur un ring de boxe, Lacroix aurait sans doute tenu le coup durant les 12 rounds sans mettre un genou à terre. Il encaissait sans broncher mais il menait un combat déjà perdu d'avance. Il avait commis un trop grand nombre d'infractions pour espérer s'en tirer.

C'est d'ailleurs un Vincent Lacroix soucieux, accablé par la pression, et seul dans son coin, qui plaidera sa cause devant le juge Claude Leblond, en Cour du Québec. On se souviendra que le financier qu'on accusait d'avoir falsifié des documents et fait des retraits irréguliers au détriment des investisseurs de Norbourg avait prétendu ne pas avoir les moyens financiers de recourir aux services d'un avocat pour assurer sa défense. Mis en faillite par le syndic aux sociétés Norbourg, à l'automne 2006, Lacroix disait ne pas avoir les moyens de payer les honoraires d'un avocat.

La décision du témoin principal de plaider seul sa cause s'avérera un très mauvais calcul. C'est un homme fatigué, empêtré dans ses dossiers, qui plaidera devant le juge pendant des semaines. Mais plus le procès avancera, plus les preuves contre l'accusé seront accablantes, et plus on verra Vincent Lacroix se refermer. À la fin, le PDG au-dessus de ses affaires ne sera plus que l'ombre de lui-même. Il aura souvent le teint gris.

Et il n'aura convaincu personne, dans son rôle de victime. En décembre 2007, tout avait été dit. Vincent Lacroix était coupable. À la fin de janvier 2008, il n'était plus question de Vincent Lacroix, le financier, mais plutôt de Vincent Lacroix, le fraudeur. L'ex-président de Norbourg se présentera devant le juge Claude Leblond pour y recevoir sa sentence. Le verdict tombera lourdement: 12 ans moins un jour, en plus d'une amende de 255 000 $. On venait de le condamner pour 51 infractions commises en vertu de la Loi sur les valeurs mobilières, pour manipulation de titres et falsification de documents. Il accusera le coup. Dans la salle d'audience, des victimes de Norbourg bondiront de leur siège et applaudiront la décision rendue par le juge Leblond.

Ce verdict fera alors grand bien à quelques-uns des investisseurs qui se sont déplacés pour assister à l'événement. Des victimes auront l'impression que la justice a finalement « mis ses culottes ». Aussitôt condamné, Vincent Lacroix sera escorté à l'extérieur de la salle d'audience du Palais de justice et prendra la direction de sa nouvelle « demeure ». Il ira purger sa peine au pénitencier de Sainte-Anne-des-Plaines, au nord de Montréal. Mais croire que l'affaire Norbourg venait de prendre fin avec ce verdict et la mise de menottes, c'était bien mal connaître la personnalité frondeuse du « Chief » de Magog.

Quelques semaines plus tard, vers la mi-mars, Lacroix s'amènera de nouveau au Palais de justice, rue Notre-Dame, chaînes aux pieds et menottes aux poignets, pour tenter de faire casser la sentence de 12 ans moins un jour en Cour du Québec. Amaigri, des cernes sous les yeux, vêtu d'un jacket sport vert, d'un chandail blanc, d'un pantalon d'exercice bleu foncé, il semblera tout droit sorti d'un magasin de vêtements bon marché. Aucune comparaison avec le « financier » en veston-cravate qui transportait ses deux grosses mallettes noires.

Lacroix sortira le grand jeu. Il affrontera toutefois un magistrat, le juge Réjean Paul, plutôt mal disposé à écouter les doléances de Vincent Lacroix. « Vous avez un Everest à remonter. Vous perdez votre temps. Enlevez ça de votre écran radar. Cela m'indiffère souverainement », tonnera alors le juge.

Lacroix alléguera qu'il n'a pas eu droit à une défense pleine et entière avant d'être reconnu coupable par le juge Leblond. Il évoquera, sans succès, que toute la « publicité négative » à son endroit, avant son procès, lui a causé un préjudice. Il aurait souhaité un procès devant juge et jury. À l'extérieur de la salle d'audience, des investisseurs floués réprimeront difficilement leur colère.

« Nous savons tous, et depuis longtemps, que Lacroix nous a volés, et nous voulons qu'il reste en prison », lancera Michel Vézina, ce débosseleur de Longueuil qui a englouti toutes ses économies dans les Fonds Évolution.

Mais il faut croire que Vincent Lacroix avait encore plus d'un tour dans son sac. C'est en Cour d'appel qu'il réussira finalement à faire réduire sa peine de 12 ans moins un jour à 8 ans et demi par le juge André Vincent, en juillet 2008. Il venait de retrancher 42 mois à sa première sentence et cela le rendait éligible à une libération conditionnelle après dix-huit mois derrière les barreaux.

Durant son séjour au pénitencier de Sainte-Anne-des-Plaines, Vincent Lacroix renoncera, par la force des choses, à sa vie de jet-setter. Pas d'alcool, pas de repas dans les grands restos du centre-ville de Montréal ou de Fribourg.

Le régime sec qu'on lui impose derrière les barreaux produit des effets surprenants. C'est un Vincent Lacroix plus mince que jamais, avec 30 livres en moins, qui se présente devant le juge Richard Wagner, en Cour supérieure, le 8 juillet 2009, pour solliciter une libération sous caution.

Ce jour-là, Lacroix est vêtu d'un simple t-shirt rayé bleu et blanc et d'un jeans trop grand. Devant le juge, il parle à voix basse, se gardant bien d'afficher la moindre agressivité. Lacroix, version juillet 2009, n'a rien à voir avec le Vincent Lacroix que les représentants en épargne collective et les investisseurs ont côtoyé de 2002 à 2005.

Lacroix dira au juge Wagner qu'il s'est inscrit à des cours en relations humaines au pénitencier et son avocate, Me Marie-Hélène Giroux, parlera des efforts de réhabilitation menés par son client tristement célèbre. Toutefois, avant de voir les portes de la liberté s'ouvrir, le juge exigera de Vincent Lacroix une caution de 5 000 $, un engagement de 50 000 $ et le dépôt de son passeport canadien. Cet engagement de 50 000 $ sera plus difficile que prévu à fournir. C'est d'abord à son père, Donald, lui-même en faillite, qu'on demandera de remplir une partie de cet engagement. Les parents de sa conjointe, Sylvie Giguère, vont eux aussi mettre l'épaule à la roue, permettant au condamné de remplir les conditions posées pour sa libération.

Une fois ces dernières remplies, l'ex-financier ira vivre dans une maison de transition du sud-ouest de Montréal, rue Saint-Jacques, dans le quartier Saint-Henri, après avoir purgé le sixième de sa peine, soit dix-huit mois. Au palais de justice, ce jour de juillet 2009, la libération partielle de Lacroix donnera cependant lieu à des échanges émotifs et enflammés.

Le juge Wagner reconnaîtra que la décision de « libérer » Lacroix, même avec des conditions très strictes, soulèvera des débats de société sur la « fermeté » du système judiciaire. Les avocats de Lacroix, Me Clemente Monterosso et Me Marie-Hélène Giroux, et celui qui représente le Ministère public, Me Serge Brodeur, s'exprimeront longuement sur la question.

Me Brodeur se livrera à une charge virulente contre le témoin Vincent Lacroix, lui reprochant notamment d'avoir « privé les orphelines de l'héritage de leurs parents ». Il parlera ouvertement de « violence » faite aux victimes. Il insistera sur la souffrance physique et psychologique qui afflige les petits investisseurs détroussés par ce financier déchu. « C'est dans l'âme que souffrent les victimes [de Norbourg] », rajoutera Me Brodeur. Ce dernier s'opposera « fermement » à la mise en liberté provisoire du délinquant.

Dans le box des accusés, Vincent Lacroix ne bronchera pas. À voix basse, il tentera de faire valoir que le travail communautaire qu'il s'apprête à faire auprès des personnes défavorisées lui fera prendre conscience de « certains aspects de la pauvreté ». On en verra plusieurs rire jaune dans la salle d'audience. Nous serons en présence d'un prisonnier qui s'interroge sur son devenir d'homme libre.

Il dira au juge qu'il ne peut plus travailler « dans la finance », étant « banni à vie dans l'industrie des fonds communs de placement ». Le juge de la Cour supérieure lui répliquera qu'il a commis « un crime très grave, très, très, très sérieux », avant de reconnaître, avec une certaine forme d'impuissance, que la décision de le relâcher intervient dans un contexte particulièrement délicat.

On sentira chez le magistrat un certain inconfort à laisser filer ce financier fraudeur, bien que Lacroix sera en liberté « très surveillée ». Des investisseurs présents au Palais de justice se scandaliseront qu'on autorise cette libération conditionnelle, ce « traitement de faveur » à un financier auteur de tant de dommages.

Le juge Wagner fera, à ce sujet, des commentaires qui porteront à réflexion et que nous avons consignés dans nos petits calepins de journaliste. « Si le public n'aime pas les lois actuelles [pour sévir contre les crimes économiques], qu'on signe des pétitions, qu'on manifeste [pour les changer] », dira-t-il en substance.

Avant de quitter la salle d'audience, celui qui venait d'être qualifié de « chef d'orchestre » du scandale Norbourg par l'enquêteur de la GRC, Yves Roussel, esquissera un sourire discret à l'endroit de son avocate, Me Marie-Hélène Giroux.

« Vous viendrez me voir au bureau », lui dira son avocate avant qu'il ne quitte le box des accusés sous bonne escorte.

À la mi-juillet 2009, Donald Lacroix, le père de Vincent Lacroix, sortira de son mutisme pour prendre la défense de son fils. Ce père de famille s'inquiétera de la sécurité de l'ex-PDG. Donald Lacroix craint que son fils soit agressé – ou encore qu'il sorte de ses gonds ! – si on l'envoie vivre parmi des colocataires en réhabilitation à la maison de transition du quartier Saint-Henri. En plein scandale Norbourg, un an après la découverte de l'escroquerie, le père de Vincent avait brandi un bâton de baseball pour chasser une reporter télé qui s'était présentée à sa maison de Magog pour reccueillir ses commentaires.

Donald Lacroix en étonnera plusieurs dans ce dossier de libération conditionnelle. Il ira jusqu'à proposer qu'on autorise son fils à vivre dans une maison de transition de Sherbrooke, près de sa famille. Il voit alors son fils donner des conférences, à 10 $ par personne, durant sa réhabilitation. L'argent recueilli pourrait servir à des organismes qui aident des gens en difficulté.

Dans une longue entrevue « exclusive » accordée à un réseau de télévision privée, Donald Lacroix prétendra que le monde de la finance a métamorphosé son fils. Il insinuera aussi que l'affaire Norbourg, ce n'est pas uniquement l'affaire Vincent Lacroix…

Comme il l'a toujours fait, dans les jours suivant les perquisitions du 25 août 2005, il tentera de détourner l'attention en jetant le discrédit sur des individus et des organismes qui auraient trempé dans cette affaire.

L'appel du père de Vincent ne sera pas entendu. Le fils ira à la maison de transition du quartier Saint-Henri, tel que l'avait décidé la Commission des libérations conditionnelles.

Le 21 juillet, ce sera le grand déménagement. Lacroix quittera sa cellule et s'engouffrera dans le fourgon blanc de la Sécurité civile en route pour son nouveau domicile de la rue Saint-Jacques.

En début de soirée, c'est sous une pluie d'injures que le « Chief » déchu sera accueilli par quelques dizaines de « citoyens ordinaires » prévenus de son arrivée. Aussitôt descendu du fourgon, Lacroix était attendu de pied ferme.

« Bandit ! » « Voleur ! » Vincent Lacroix fera face à l'humiliation, ce soir-là. Cette petite marche entre le fourgon et la porte d'entrée de la maison de transition a dû lui paraître interminable. Lacroix n'avait sans doute pas décidé de son propre chef de prendre ce bain de foule dans un lieu aussi hostile, comme l'avait craint son père Donald.

Désormais, le scandale Norbourg n'était plus que l'affaire de 9 200 victimes. Le citoyen ordinaire semblait avoir ostracisé ce fraudeur. Contrairement à son habitude, Lacroix évitera d'affronter les caméras de télé. Aux bulletins de nouvelles de fin de soirée, les spectateurs verront un homme dans ses petits souliers.

Le 20 août 2009, par une journée chaude et humide, les victimes de Vincent Lacroix auront un coup de chaleur. Leur colère montera d'un cran lorsqu'ils prendront connaissance du jugement rendu par trois juges de la Cour d'appel ramenant la peine initiale de 12 ans moins un jour à... cinq ans moins un jour.

Cette décision unanime en choquera plus d'un. D'un seul trait de plume, la Cour d'appel renversait le premier verdict rendu par le juge Claude Leblond en Cour du Québec en janvier 2008.

Le juge Leblond avait condamné Lacroix en vertu de 51 infractions aux valeurs mobilières, en additionnant les peines. C'est ainsi qu'il avait pu infliger à Vincent Lacroix cette sentence de 12 ans moins un jour. Cependant, la loi provinciale ne l'autorisait pas à aller aussi loin ; en matière d'infractions aux valeurs mobilières, la peine maximale est de cinq ans moins un jour.

En décortiquant le jugement de la Cour d'appel, des commentateurs en viendront à la conclusion que, attendu les circonstances et une fois le choc passé, cette décision était la bonne. Cela fera ressortir clairement que la peine infligée à l'ex-PDG de Norbourg ne l'avait pas été dans le « bon procès ». On comprendra alors que Lacroix n'aurait pas dû subir son procès au pénal, sous la pression de l'AMF, qui s'était hâtée de traîner Lacroix devant les tribunaux pour se donner bonne presse, selon plusieurs observateurs. Dans l'ordre normal des choses, Lacroix aurait plutôt dû être accusé au criminel, en vertu d'accusations portées par la GRC. C'était d'ailleurs à la GRC de prendre les devants et de « diriger » Lacroix vers le Palais de justice de Montréal.

En remettant les pendules à l'heure, la Cour d'appel clarifiera une situation pour le moins ambiguë : Lacroix devait-il subir son procès au criminel, compte tenu qu'il avait déjà été reconnu coupable lors de son procès au pénal ?

Désormais, il n'y avait plus d'équivoque: Lacroix avait été condamné légalement selon la loi provinciale sur les valeurs mobilières, avec une sentence ramenée à cinq ans moins un jour. Le procès au criminel pouvait débuter normalement et Vincent Lacroix être jugé pour avoir fraudé les investisseurs de chez Norbourg.

Ces faits nouveaux constituaient-ils un présage en vue de la tenue du procès criminel? À quoi pouvaient s'attendre les citoyens et les investisseurs qui avaient harangué Vincent Lacroix à son arrivée à la maison de transition du quartier Saint-Henri? Que risquait-il de se produire à ce procès?

Le 9 septembre 2009, les investisseurs floués allaient en avoir un avant-goût. Ce jour-là, c'est un tout nouveau Vincent Lacroix qui se présentera en Cour supérieure devant le juge Richard Wagner, dans l'espoir de faire annuler la tenue du procès criminel qu'il redoutait tant. Pour l'occasion, Lacroix avait laissé tomber son t-shirt rayé bleu et blanc, s'était rasé de près et il avait retrouvé son veston et sa cravate. Il avait pris place à l'arrière de la salle d'audience du Palais de justice de Montréal parmi les spectateurs et les représentants des médias d'information.

Nous n'étions plus en présence du prisonnier en liberté conditionnelle. Vincent Lacroix avait repris ses airs de financier en apparence sûr de lui. Tout un contraste avec le Vincent Lacroix des dernières semaines qui s'était présenté en Cour menotté et portant des vêtements mal agencés.

Quelques jours auparavant, il était encore plus méconnaissable. Il avait une barbe, portait une casquette, des lunettes fumées et se déplaçait en métro, dans l'anonymat. Lacroix faisait du bénévolat à la Société Saint-Vincent-de-Paul. Il suivait son « programme de réhabilitation » auprès des moins nantis. Il lui arrivait même de nettoyer des frigos crasseux…

Mais en ce 9 septembre 2009, Vincent Lacroix n'avait plus d'issue de secours. Il n'avait pas réussi à faire fléchir le juge Richard Wagner. Le procès au criminel allait débuter dans les jours suivants. Lacroix était désormais « coincé » par l'appareil judiciaire. Il ne pouvait plus se défiler. Dans un jugement de 20 pages, le juge Wagner a tranché. Il n'y avait plus d'ambiguïtés sur la question touchant les infractions commises par l'ex-PDG de Norbourg. Il n'y avait plus matière à interprétation. Le juge reconnaîtra toutefois qu'on a « mis la charrue devant les bœufs » en condamnant Lacroix d'abord au pénal en vertu d'infractions commises à la Loi sur les valeurs mobilières du Québec.

L'ex-PDG sortira du Palais de justice déçu et penaud. Lacroix refusera de répondre aux questions des journalistes et s'engouffrera dans une automobile garée en face. Cette décision était très attendue, tant par Vincent Lacroix que par ses victimes. Il restait encore des étapes à franchir avant de lancer le procès. Ce lundi matin de septembre, il fallait constituer un jury de 12 membres parmi les 1 500 candidats sélectionnés. On s'attendait à un procès qui allait durer quelques mois.

Mais Lacroix n'avait pas fini de nous étonner. À peine venait-il de subir un revers en Cour supérieure qu'il annonçait à son avocate, Me Marie-Hélène Giroux, qu'il n'avait plus d'argent pour payer ses frais juridiques.

« Mon client a éclaté, il n'a plus les moyens pour se représenter », confirmera Me Giroux, cachant difficilement sa « gêne » devant la volte-face de son « infortuné » client.

« Je suis étonné », ne pourra s'empêcher de renchérir le procureur de la Couronne, Me Serge Brodeur.

Vincent Lacroix et cinq présumés complices faisaient alors face à 922 chefs d'accusation de complot pour fraude, fabrication de faux documents et blanchiment d'argent.

La sélection du jury pour ce procès criminel ne sera pas une tâche facile. Pendant trois jours, à raison de 250 personnes par jour, le juge Richard Wagner verra des hommes et des femmes qui n'ont visiblement pas tous et toutes envie de jouer un rôle dans le procès qui s'annonce long et complexe. Les candidats potentiels ne manqueront pas d'arguments pour se soustraire à l'obligation de faire partie du jury. Certains mettront de l'avant qu'ils ne sauraient être impartiaux puisqu'ils ont trop entendu parler de cette cause. D'autres invoqueront qu'ils connaissent un proche ou un ami qui a perdu de l'argent dans le scandale Norbourg.

Les jurés seront choisis dans un climat tendu… et en présence de Vincent Lacroix. L'ex-PDG de Norbourg trouvera un siège dans la salle d'audience, la salle 5.01 du Palais de justice de Montréal, où défileront les candidats potentiels en vue de la constitution du jury. Lacroix fera preuve d'une certaine arrogance. Il mâchera de la gomme sans manière, prendra des notes. Une gardienne affectée à la sécurité lui demandera de mieux se tenir.

L'affaire Norbourg entrait dans sa phase finale. On n'avait plus qu'à attendre le début du procès et la comparution de Lacroix et de sa bande de collaborateurs, en vertu d'accusations portées le 18 juin 2008 par la GRC au terme d'une enquête de trois longues années.

Le 21 septembre 2009, Vincent Lacroix arrivera au Palais de justice en chandail rayé, en espadrilles blanches, avec son sac d'entraînement et, dans un geste surprise, il renoncera à la tenue d'un procès devant juge et jury et plaidera coupable aux 200 chefs d'accusation de fraude, de fabrication de faux documents, de complot et de recyclage de produits de la criminalité qui pesaient contre lui.

Les victimes de Lacroix seront indignées. Pour Jean-Guy Houle et Réal Ouimet, deux investisseurs floués, la « justice » venait de rater une occasion inespérée de « faire parader ce fraudeur » pour qu'il raconte « comment il a volé ses victimes avec l'aide de complices », accusera Jean-Guy Houle.

« On a voulu lui éviter un procès public pour ne pas éclabousser des personnes, des gros noms, qui ont contribué directement ou indirectement à ce scandale. Le gouvernement s'en lave les mains et la GRC a fermé les livres en disant simplement : Bonjour, merci ! C'est de la crasse... », dira le grand-père des orphelines, dépité.

Ce coup de théâtre en laissera plusieurs perplexes. Comment Vincent Lacroix a-t-il pu décider, seul, de ne pas subir un procès public ? La preuve était-elle à ce point « béton » pour qu'il décide de ne pas faire face aux avocats de la Couronne ? Il a semblé évident, tant aux victimes qu'aux nombreux commentateurs, que la décision de Vincent Lacroix de plaider coupable pour s'éviter un procès était un geste calculé.

Lacroix risquait une peine maximale de 14 ans pour les crimes dont il s'était reconnu coupable. Son avocate, Me Marie-Hélène Giroux, dira vouloir négocier une peine variant entre 10 et 12 ans pour son client. Elle dira que son client « regrette ses gestes ». Il allait pouvoir y réfléchir en prison. Au moment d'aller sous presse, on attend le verdict.

Lacroix ira jusqu'à proposer à ses victimes de témoigner en leur faveur dans le cadre du recours collectif ! Il laissera entendre à ses victimes que son objectif est de les supporter afin qu'elles puissent retrouver leurs épargnes...

Dans une lettre qu'il fera parvenir aux médias le 22 septembre 2009, Vincent Lacroix fera son introspection. Il attribuera une partie de ses problèmes à sa mégalomanie.

Nous publions ici un extrait de cette lettre…

« Je suis complètement terrassé des graves [sic] malheurs et préjudices financiers et moraux que je vous ai causés. J'ai été mégalomane et complètement hypnotisé… Je vous demande encore une fois 9 200 pardons, mais je suis conscient de votre colère et de votre frustration ainsi que celle [sic] de la population à mon endroit. Je me suis battu pour que les procédures soient en ordre, non pas pour ma non culpabilité. Vous souffrez de ma criminalité et c'est extrêmement difficile à porter.

Mon incompréhension demeure au niveau de vos épargnes. J'ai financé plusieurs acquisitions avec votre épargne. J'ai fait une faillite personnelle et corporative, ce qui signifie que je n'ai plus d'actifs. Tout est entre les mains des syndics …

Pourquoi on ne vous distribue pas l'argent qui se trouve chez les syndics ? En attendant le recours collectif, cela pourrait alléger vos souffrances. Tout ça au nom d'une jurisprudence plus dure.

" Un homme ne peut mourir deux fois ". Je n'ai plus d'argent. Vous ne me croyez pas, posez la question aux syndics. À tous ceux qui ont ridiculisé la mère de mes deux enfants, soyez assurés qu'elle agissait comme mère, et non pas comme épouse. Mes enfants ne veulent pas être vus en public avec moi. Je suis un homme mort. Tout comme je l'ai mentionné à un homme qui voulait me faire payer le scandale Norbourg, tu peux me frapper mais tu ne peux pas me tuer, je suis déjà mort ».

Les investisseurs de Norbourg savaient que Vincent Lacroix avait volé l'argent de leurs épargnes. Cette lettre ne leur redonnait pas leur argent. Elle les fera rager davantage. « J'en ai rien à faire des excuses de Lacroix », réagira le policier à la retraite Réal Ouimet.

Or, deux jours après la publication de la lettre de Vincent Lacroix, le gouvernement du Québec acceptera de remettre aux victimes de Norbourg une somme de 6,7 M $, soit le montant qu'avait versé l'ex-PDG au fisc québécois pour payer ses impôts avec l'argent de ses investisseurs.

Réal Ouimet et toutes les victimes flouées toucheront donc un chèque en fonction des montants engloutis dans Norbourg. Cet investisseur s'attendra à recevoir par la poste un chèque de 732 $.

Wilhelm Pellemans, cet autre investisseur qui se bat pour faire entendre la cause du recours collectif, estimera pour sa part que ce remboursement du gouvernement « est une amorce ».

« Ça fait trois ans et demi qu'on attend que le gouvernement nous rende l'argent qu'il a touché des impôts payés frauduleusement par Vincent Lacroix. Il n'y a encore rien de réglé et il faut continuer d'exercer de la pression », exprimera-t-il en entrevue le 24 septembre 2009. Il aurait également souhaité qu'on redistribue aux victimes les montants qui sont encore entre les mains d'Ernst & Young, le liquidateur des fonds Évolution.

Le 28 septembre, il restera à juger les cinq présumés complices de Vincent Lacroix. Leur procès aura lieu comme prévu devant juge et jury à la salle 4.05. Ces cinq collaborateurs feront face à 722 chefs d'accusations pour fraude, complot, recyclage de produits de la criminalité et fabrication de faux documents, et leurs révélations devraient permettre d'en savoir un peu plus sur cette fraude.

Pour ce procès au criminel, les chefs d'accusation pleuvent sur « la gang à Lacroix ». Serge Beugré, un des plus proches collaborateurs du PDG déchu, en a 174 et l'informaticien Félicien Souka tout autant. Jean Cholette, pour sa part, doit répondre à 150 chefs d'accusation ; il aurait aidé Lacroix, en 2005, au même titre qu'Éric Asselin et Jean Renaud, à préparer une divulgation volontaire au fisc, tant à Québec qu'à Ottawa. Cette fausse déclaration faisait état de revenus de près de 60 M$ qui auraient transité de Lacroix à Norbourg. L'objectif était de justifier les mouvements de fonds auprès des autorités afin de dissiper tout doute que l'argent puisse provenir, en réalité, de la poche des investisseurs. Le vérificateur Rémi Deschambault a, de son côté, 131 chefs d'accusation qui pèsent contre lui. Enfin, le fonctionnaire Jean Renaud n'est pas en reste, avec un total de 93 chefs d'accusation. Les crimes reprochés par la GRC se seraient déroulés entre le 20 septembre 2002 et le 25 août 2005. Le procès au criminel doit faire défiler jusqu'à 70 témoins potentiels, dont David Simoneau, le cousin de Lacroix. Un des cinq collaborateurs exprimera le sentiment d'avoir été largué par son ancien patron, qui a choisi de plaider coupable. L'avocat de Serge Beugré, Me Pierre Panaccio, critiquera ouvertement la position prise par Lacroix. « C'est un stratagème de bas étage et ça nous en dit beaucoup sur le genre de personne qu'est Vincent Lacroix. Il aurait pu se tenir debout, rester là et se défendre. Les coaccusés dans cette affaire sont également des victimes de ses manœuvres », dira-t-il. Mais ce procès était-il la seule option sur la table pour clarifier une fois pour toutes ce scandale financier ? En juin 2008, il faut se rappeler que le premier ministre Jean Charest avait évoqué la possibilité de diligenter une enquête publique pour faire toute la lumière sur l'affaire Norbourg. Le chef du Parti libéral avait précisé que cette enquête n'aurait pas lieu avant la fin du procès au criminel contre Lacroix et ses présumés complices.

Les partis d'opposition avaient alors demandé au premier ministre d'agir plus rapidement. L'ex-chef adéquiste, Mario Dumont, avait fait valoir que « c'est l'État québécois, c'est l'administration publique québécoise qui ont donné la respiration artificielle à Norbourg, lui permettant de faire d'autres victimes, plus de victimes ».

Mario Dumont, devenu animateur à la nouvelle chaîne de télévision V – autrefois TQS –, a toujours prétendu que Vincent Lacroix a bénéficié d'une aide inespérée avec cette subvention controversée du ministère des Finances du Québec, à l'époque où Pauline Marois était titulaire dudit ministère. Ce sujet avait donné lieu à de vifs échanges dans l'arène politique.

Mais le 25 août 2009, quatre ans jour pour jour après les perquisitions de la GRC et de l'AMF dans les locaux de Norbourg, le premier ministre Jean Charest a dit qu'il était prêt à revoir le code de procédure pénale québécois afin que les sentences imposées soient plus sévères et purgées « de façon consécutive ». Il dira souhaiter que l'AMF améliore ses méthodes d'investigation afin que l'organisme puisse intervenir plus rapidement.

« Nous devons trouver le moyen de nous adresser aux Québécois qui arrivent à l'âge de la retraite pour que tout le monde puisse faire les meilleurs choix possibles [d'investissement] en toute connaissance de cause. Il faut pouvoir identifier les Earl Jones de ce monde qui marchent à l'extérieur du système et qui peuvent abuser de la confiance des investisseurs », a précisé le premier ministre Charest alors qu'il se trouvait en congrès.

Jean Charest misait aussi sur la tenue d'une rencontre des ministres provinciaux de la Justice, à la fin août 2009, pour inscrire à l'ordre du

CINQUIÈME PARTIE
DES LEÇONS À TIRER

Nous avons relaté, tout au long de cet ouvrage, des agissements frauduleux qui ont permis à Vincent Lacroix de vider les fonds des investisseurs avec la complicité d'un groupe restreint de collaborateurs.

Le scandale Norbourg est toutefois loin d'être un scandale isolé. Si on faisait le tour de la planète, on retrouverait sans doute de nombreux clones de Vincent Lacroix. Mais comment passer les menottes à ces criminels à cravate avant qu'ils ne vident le compte en banque de leurs clients-investisseurs ? Avons-nous besoin d'une « police nationale de la finance » comme le suggère le gestionnaire Stephen Jarislowsky ? Faudra-t-il durcir nos lois touchant les crimes économiques ? Devra-t-on s'inspirer de nos voisins du Sud qui infligent des peines très sévères, sans possibilité de libération au sixième de la peine, aux filous de la finance ?

Aux États-Unis, Bernard Madoff, l'ancienne coqueluche de la bourse des technos Nasdaq de New York, a fraudé ses clients pour une somme astronomique de 50 millliards $ US. Il a été reconnu coupable, en décembre 2008, de la plus grande escroquerie de l'histoire financière américaine. Il finira ses jours en prison, compte tenu de l'obligation, qui existe là-bas, de purger 85 % de sa sentence. Les tribunaux lui ont infligé une peine de… 150 ans.

Pour voler ses clients, Madoff aura eu recours à la « chaîne de Ponzi », un système s'apparentant à une chaîne pyramidale. Le stratagème consiste à verser aux clients-investisseurs de faux revenus tirés des sommes réinvesties par les clients eux-mêmes. Cette technique datant du 20e siècle avait été inventée par un certain Charles Ponzi, qui devint millionnaire en six mois à peine. Vincent Lacroix n'a pas eu recours à ce système diabolique. Il ne connaissait pas ses victimes. Mais il savait s'y prendre pour vider les fonds des investisseurs…

Robert Allen Stanford, 59 ans, un financier texan milliardaire, a floué 30 000 investisseurs pour la somme de 8 milliards $ US. Il incitait ses clients à acheter des certificats de dépôt émis par la Stanford International Bank, à Antigua. En juin 2009, les actifs seraient faussement passés de 1,2 G$ à 8,5 G$ US. Il risquait la prison à vie. Stanford avait des bureaux au centre-ville de Montréal, sur l'avenue McGill College. Il aura lui aussi réussi à berner plusieurs de ses collaborateurs en ayant recours à cette satanée « chaîne de Ponzi ».

Les dossiers Madoff et Stanford ont été très médiatisés, et la manière dont la justice américaine a réagi face à ces fraudeurs a relancé le débat entourant l'« administration » de la justice canadienne. Si, aux États-Unis, les lois pour punir les crimes économiques ont des dents, au Canada, par contre, les juges qui doivent rendre des sentences contre ces arnaqueurs semblent mal outillés. Les verdicts de crimes pourtant violents envers les victimes manquent de fermeté. C'est là toute la question rattachée aux maigres sentences rendues par les tribunaux canadiens : les crimes économiques ne sont pas considérés comme des gestes violents.

De nombreux commentateurs politiques, et des éditorialistes chevronnés, continuent de déplorer la faiblesse de nos lois en cette matière et à proposer à nos élus fédéraux d'imiter les Américains, ou du moins de traiter les criminels financiers comme des criminels tout court. Ce n'est pas parce qu'un Vincent Lacroix n'a pas utilisé d'arme blanche pour voler ses clients qu'il faut banaliser la nature de ses délits. Parlez-en aux investisseurs qu'il a floués, dont un grand nombre sont des retraités et qui ont dû reprendre le travail après avoir été détroussés de leurs économies.

Des fraudeurs sans scrupules, il y en a toujours eu et il y en aura, hélas, toujours. Le Québec n'est pas un terreau plus fertile aux fraudeurs qu'ailleurs au pays. Il ne s'agit pas, toutefois, de banaliser les fraudes et leur impact extrêmement néfaste sur la vie des investisseurs floués. Mais il est utile de rappeler que l'affaire Norbourg ne vient que s'ajouter à la longue série de scandales boursiers et économiques.

À l'automne 2007, une histoire de fraude de 85 M$ impliquant le président de la firme Triglobal, Themis Papadopoulos, a été révélée. Triglobal faisait depuis dix ans des placements illégaux dans les paradis fiscaux, notamment aux Bahamas. Plus de 150 Québécois qui avaient investi de 10 000 $ à 350 000 $ ont perdu leur mise.

À la fin janvier 2008, le courtier André Charbonneau, 53 ans, a été condamné à une peine d'emprisonnement de 7 ans, en Cour du Québec, pour une fraude d'un montant de 10 M$ commise aux dépens de 440 clients-investisseurs. Charbonneau était à la tête de la compagnie d'assurance-vie L'Alternative et il s'était servi de la crédibilité de l'ex-entraîneur du Canadien de Montréal, Jacques Demers, pour s'envoler avec l'argent de ses clients auxquels il avait fait miroiter des rendements de plus de 10 %. Le courtier fraudeur avait sévi de 1995 à 1999 et ce n'est qu'en 2008 que son cas fut réglé en cour.

À la fin juillet 2008, une « vedette » de la société techno Jitec, Benoît Laliberté, a été condamnée en Cour du Québec à des amendes de près de 900 000 $ pour des délits d'initiés et pour des opérations frauduleuses. Le PDG de la société boursière a embarqué ses investisseurs dans son bateau informatique pendant des années avant de se retrouver face à la justice. Laliberté a été accusé de fausses représentations à des investisseurs sur le cours de l'action boursière de Jitec.

À la fin de l'été 2008, un autre dossier de fraude, atteignant 130 M$, a retenu l'attention. Cette fois, l'affaire impliquait cinq dirigeants de la société Mount Real : Lino P. Matteo, Paul D'Andrea, Joseph Pettinicchio, Laurence Henry et Andris Spura. Mount Real effectuait des transactions fictives afin d'embellir sa situation financière et se finançait à même les fonds de ses clients-investisseurs. La société n'avait rien négligé pour brouiller les pistes, élaborant un organigramme regroupant 120 sociétés…

L'affaire Norshield impliquant son PDG, John Xanthoudakis, soulèvera l'indignation, tant en Ontario qu'au Québec. Cette fraude de 472 M$ touchera principalement des investisseurs fortunés et des investisseurs institutionnels tels que la Caisse d'économie des employés de la Ville de Laval, la Fondation Chagnon et L'Industrielle Alliance. Xanthoudakis avait eu recours à un stratagème pour détourner des fonds. Il aurait incité ses clients à investir dans des fonds de couverture (hedge funds) proposés par le Groupe financier Norshield. Des investisseurs seront floués par le biais de renseignements erronés.

En juillet 2009, dans l'Ouest de l'île de Montréal, un autre scandale financier éclatera à la face des clients du soi-disant planificateur financier Bertram Earl Jones, soupçonné d'une fraude de plus de 50 M$ commise aux dépens d'une centaine de clients-investisseurs, majoritairement des retraités. Jones, de Pointe-Claire, aura recours à la même méthode que Bernard Madoff et Allen Stanford : la chaîne de Ponzi.

« Et dire que je lui ai fait confiance ! » confiera Danielle Manouvrier au lendemain de la découverte de l'escroquerie. Elle sera d'autant plus révoltée qu'elle était la jardinière du condo à Tremblant, chemin des Becs-Scies, près du golf Le Maître. « Je suis allée arracher les fleurs que j'avais plantées dans sa cour. Je suis hors de moi », racontera-t-elle, sous le coup de la colère.

Cette victime de Earl Jones, âgée de 51 ans, subira une perte de 20 000 $ pour lui avoir fait confiance. « C'est lui qui m'avait recommandé de sortir ce montant de mes REER pour le réinvestir. Je l'ai écouté », confiera Danielle Manouvrier. Sa mère, âgée de 72 ans, est désormais plus pauvre de 80 000 $.

« Nous le connaissons depuis plus de 25 ans. Jamais je n'aurais cru me retrouver en présence d'un homme aussi malhonnête », ajoutera-t-elle. La perte a failli être plus considérable. « J'étais sur le point de confier un autre 50 000 $ de mes REER à ce fraudeur », soupirera-t-elle.

Autre fait troublant : Earl Jones était le liquidateur de certains de ses clients. Les victimes sont pour la plupart montréalaises, mais d'autres viennent du reste du Canada, des États-Unis et d'Europe. Son frère a lui aussi écopé. À la mi-septembre, il a même renié Earl Jones en pleine télévision…

Début août 2009, un autre verdict tombera comme une brique sur la tête d'investisseurs : Stevens Demers, l'ex-président de la firme Enviromondial, sera condamné à une peine d'un an et demi.

Après le prononcé du verdict, des victimes de Stevens Demers afficheront ouvertement leur mécontentement. Fait étonnant : l'AMF se dira à son tour insatisfaite du jugement au pénal rendu contre le fraudeur pour des infractions aux valeurs mobilières.

Qu'ont en commun tous ces scandales financiers ? Comment se fait-il que des investisseurs, même aguerris, tombent dans le panneau ? Comment expliquer que des investisseurs qui ont, tout au long de leur vie active, pris le temps de réfléchir avant de faire une « folle dépense », se retrouvent empêtrés dans des histoires frauduleuses ?

En fait, les financiers fraudeurs jouent avec la nature humaine. Ce sont des prédateurs. La stratégie employée pour détrousser les victimes diffère peu d'un cas à l'autre. Une fois la relation de confiance établie avec le client, le fraudeur promet des rendements largement supérieurs à ce que le « marché » peut générer. Le financier fraudeur vend du vent… et des promesses qu'il ne pourra tenir.

Bon nombre d'investisseurs piégés recherchaient les rendements à tout prix ; bien peu se satisfaisaient des rendements pépères de 3 à 4 % par année proposés par les banques. Ces épargnants-investisseurs croisent généralement sur leur route un « planificateur financier sans le titre », prêt à leur ouvrir les portes du paradis et des rendements annuels de 10, 15 et même 25 %. Comment refuser de tels rendements ? La tentation est grande de signer au bas du contrat, les yeux fermés[55].

Dans le dossier Norbourg, cependant, on ne pourra jamais reprocher aux investisseurs floués d'avoir voulu jouer à la loterie avec leurs épargnes chèrement acumulées, du moins ceux qui détenaient des fonds communs de placement Évolution acquis à l'époque où la Caisse de dépôt et placement du Québec en faisait la promotion. Ces investisseurs sont devenus des clients de Vincent Lacroix « par défaut ». Ils n'ont jamais cherché à obtenir des rendements fabuleux pour « battre les indices du marché ». De leur côté, les investisseurs qui avaient des fonds de Norbourg s'étaient fait promettre de « beaux rendements », mais jamais au détriment de la « sécurité » de leurs placements.

Il importe de faire cette nuance.

---

55. Un professeur de la Faculté de droit de l'Université de Montréal, et directeur de l'Observatoire du droit québécois des valeurs mobilières, Stéphane Rousseau, juge qu'une « réglementation est nécessaire pour prévenir la fraude et les abus ». Il a lancé un Guide des droits des investisseurs en 2008.

Mais tous ces financiers fraudeurs sont-ils conscients de la portée de leurs actes ? Sommes-nous en présence de psychopathes de la
finance[56] ? « Pas du tout ! » nous dira en entrevue, début septembre 2009, le professeur Messaoud Abda, directeur du programme de
lutte contre la criminalité financière mis en place par l'Université de
Sherbrooke il y a trois ans à peine[57].

Selon le professeur, les fraudeurs comme Vincent Lacroix, Earl
Jones ou Bernard Madoff « ne sont pas des gens malades », ils ne pré-
sentent aucune pathologie. Il reconnaît toutefois que ces « financiers »
se servent négativement de leur intelligence.

« La grande majorité, et c'est le cas de Lacroix, sont des gens équi-
librés ne souffrant, il va sans dire, d'aucune maladie mentale, mais qui
veulent avoir un gros train de vie. Ils sont guidés par l'ivresse de tout
se payer en double et en triple : maisons, bateaux, voyages », souligne
le professeur.

Il ne cache pas, cependant, que ces criminels « disposent d'une panoplie de moyens pour déjouer le système ». « Ça ne prend qu'une
petite heure ou deux, tout au plus, pour ouvrir un compte *offshore*
et transférer de fortes sommes d'argent aux Bahamas ou aux îles
Caïmans », fait-il observer.

---

56. En octobre 2008, le psychiatre Robert Hare, auteur de *Snakes in Suits : When Psy-
chopaths Go to Work,* avait abordé ce thème délicat lors d'un colloque annuel
organisé par l'AMF dans la foulée de l'affaire Norbourg.

57. Le programme de lutte contre la criminalité est le seul à être offert en français en
Amérique du Nord. Il vise à former une élite pour contrer les crimes économiques. Les étudiants viennent des domaines juridique, financier, comptable et
financier et souhaitent généralement conserver leur anonymat puisqu'ils sont
généralement à l'emploi de la Gendarmerie royale du Canda (GRC), de la Sûreté
du Québec ou encore de l'Autorité des marchés financiers (AMF).

Messaoud Abda compare les Lacroix, Jones et Madoff à des individus « qui savaient ce qu'ils faisaient, mais qui étaient incapables de s'arrêter ». « C'étaient des financiers très généreux [avec l'argent de leurs victimes], très altruistes aussi. C'étaient également des financiers qui savaient manipuler leur entourage et qui réussissaient à convaincre leurs clients », ajoute-t-il.

Selon lui, ces fraudeurs ont toujours « protégé leurs proches », même lorsque le scandale défrayait la chronique. « Ils assument généralement toute la responsabilité pour la fraude mise à jour », observe le professeur de l'Université de Sherbrooke.

Messaoud Abda n'est pas dupe, cependant, et il ne se laisse pas émouvoir par un Vincent Lacroix qui se présentera en cour plutôt mal vêtu, amaigri, les traits tirés, pour s'afficher comme une « victime » et pour donner de lui une image moins flamboyante devant le juge.

Il reconnaît néanmoins que la prison « brise des vies » et que l'ex-président de Norbourg a lui-même gâché la sienne en détournant les fonds de 9 200 petits investisseurs.

Il faudra bien, un jour, s'attaquer aux racines du mal pour mieux protéger les investisseurs victimes de ces conseillers et de ces planificateurs sans scrupules. Toutefois, pour discipliner la profession et démasquer ces imposteurs, faudra-t-il créer un Ordre des planificateurs financiers? Le grand ménage passera-t-il par la « professionnalisation » des métiers liés à la vente de fonds communs de placement ou de titres boursiers?

« Cette question est plus pertinente que jamais. C'est la crédibilité de l'industrie qui est au centre de cette réflexion, mais c'est aussi la protection des épargnants et des investisseurs qui en dépend », nous dira en entrevue le président du Mouvement d'éducation et de défense des actionnaires (MÉDAC), Claude Béland, en cet été 2009 marqué par l'éclatement de nombreux scandales.

L'ex-PDG du Mouvement Desjardins croit que le temps est venu d'identifier les « pseudoconseillers et pseudoplanificateurs » qui offrent leurs services à des clients mal renseignés. « N'importe qui peut ouvrir son petit bureau de conseiller ou de planificateur sans en avoir les compétences. Ça n'a aucun sens », précise Claude Béland.

Il constate que cette réflexion est bien amorcée, au Québec, où on dénombre, selon lui, près de 38 000 conseillers en placement « dans une industrie qui n'est toujours pas réglementée ». « Nous devrons nous asseoir autour d'une même table, membres du gouvernement, membres de l'industrie du placement, organismes de défense des investisseurs, organismes de régulation des marchés, pour y voir plus clair. Nous devons travailler sur tous les paliers », insiste-t-il.

Le président du MÉDAC, qui est en poste depuis janvier 2009, admet qu'un Ordre professionnel de la planification financière ne réglerait pas tous les problèmes. « Mais ce serait un pas important dans la bonne direction », précise-t-il.

« Il faut éduquer la population. Il faut lui faire prendre conscience que les vendeurs de produits financiers qui promettent des rendements de 12, 15 et même 20 %, c'est du mensonge. Il y a trop d'épargnants qui croient encore au père Noël et qui se laissent endormir par un parent, un ami, qui s'improvise planificateur financier », souligne Claude Béland.

Il croit cependant que c'est toute l'industrie du placement qui gagnerait en crédibilité avec la mise en place d'un ordre professionnel. « Les épargnants bénéficieraient alors d'une véritable protection en cas de litige avec leur conseiller financier. Un ordre professionnel pourrait indemniser les victimes de fraudes. Le portrait d'ensemble serait beaucoup plus clair », fait-il valoir.

Cela suppose, toutefois, que tous les conseillers et planificateurs devraient se soumettre à de nouvelles règles du jeu. « On demanderait à ces professionnels d'obtenir leur certification. On les inviterait à suivre des cours de perfectionnement et à respecter les règles de gouvernance en créant, par exemple, des conseils d'administration dans une démarche de transparence », précise Claude Béland.

Il s'étonne que la profession ne soit pas régie par un ordre professionnel, comme le sont les comptables, les ingénieurs ou les médecins, par exemple. Cette absence de contrôles, constate-t-il, a favorisé l'émergeance de charlatans. Et ces charlatans, qui constituent une minorité, tient à rappeler le président du MÉDAC, ont miné la crédibilité des véritables professionnels.

Claude Béland reconnaît que les fraudes financières ne vont pas cesser du jour au lendemain à moins d'une intervention « sérieuse et musclée » de concert avec des organismes de régulation comme l'AMF. « C'est facile à comprendre : les fraudeurs savent manipuler leurs victimes. Et ces mêmes fraudeurs, comme on l'a vu avec Bernard Madoff aux États-Unis, et Earl Jones au Québec, peuvent manœuvrer pendant des années sans se faire prendre », déplore-t-il.

Il n'ignore pas que les petits investisseurs n'ont jamais été aussi vulnérables face à ces astucieux fraudeurs. « Mais il y a une raison qui explique cela. Bon nombre de victimes sont, soit des retraités, soit des gens près de la retraite, qui tentent d'obtenir de bons rendements pour leur régime de retraite. La déprime boursière les a incités à se tourner vers de faux planificateurs financiers », souligne Claude Béland.

Le président du MÉDAC n'est pas le seul à lancer de tels messages. L'Autorité des marchés financiers, critiquée plus d'une fois dans le dossier Norbourg, reconnaît qu'il faudra mettre la main au collet des « vendeurs aux formules miracles ».

« Il y a tout un travail d'éducation à faire auprès des épargnants », nous dira en entrevue, début septembre 2009, le porte-parole de l'AMF, Sylvain Théberge. Selon lui, ce travail de sensibilisation passera par des campagnes d'information et par des conférences dans les écoles de niveau secondaire et collégial.

« Nous voulons parler aux 18-25 ans, qui sont des cibles pour les fraudeurs, mais nous voulons aussi rejoindre les pré-retraités et les re-traités qui se font souvent proposer des placements trop beaux pour être vrais », fera valoir Sylvain Théberge.

Il reconnaît que les petits investisseurs n'ont pas tous les outils en main pour identifier les fraudeurs. « On travaille à rendre plus facile à consulter le registre comportant les noms des courtiers et représen-tants qui sont inscrits et qui ont des permis valides pour vendre des produits financiers. D'un seul " clic ", on pourra accéder au dossier d'un conseiller financier », souligne le porte-parole.

Mais que valent ces campagnes d'éducation des épargnants si l'AMF ne dispose pas des ressources nécessaires pour enquêter ? À cette question, Sylvain Théberge répond que l'organisme de régulation a embauché près de 80 inspecteurs et enquêteurs depuis cinq ans.

« Le nombre d'inspecteurs et d'enquêteurs est passé de 45 à 112, soit une hausse de 160 %, depuis la création de l'AMF. On répond à un nombre croissant de plaintes d'investisseurs », fait valoir le porte-parole.

La chasse aux fraudeurs ne doit cependant pas passer uniquement par la création d'un Ordre des planificateurs financiers, bien que la « professionnalisation » de l'industrie du placement s'impose. Il fau-dra également s'intéresser à une autre catégorie d'escrocs de la finance : ces « courtiers véreux » qui expédient l'argent de leurs clients en Suisse, aux Bahamas ou encore aux îles Caïmans, tout en sachant que cet argent-là est le fruit d'activités illégales. Ces mêmes courtiers ouvrent des comptes *offshore*, à l'abri des yeux du fisc, trop souvent avec la complicité de certaines banques.

Les financiers connaisseurs du « système » sont familiers de ce qu'on appelle, dans le milieu, le « secret des banques ». Ce « secret » profite amplement aux fraudeurs… et aux banques. Cette pratique donne lieu à des abus. Les fraudeurs ont l'embarras du choix : on dénombrerait pas moins de 70 paradis fiscaux à travers le monde, et les sommes détenues dans ces « paradis » dépasseraient les 11 billions de dollars américains. C'est sans compter les fonds spéculatifs, dont l'actif est de plus de 1,1 billion de dollars américains, qui sont « investis » dans ces lieux où règne une complaisance aveugle. La principauté de Monaco, avec une population de 32 000 habitants, « héberge » à elle seule 350 000 comptes de banque secrets[58].

Le secret bancaire laisse donc toute la latitude aux financiers qui souhaitent faire transiter de fortes sommes dans des endroits où on ne pose pas de questions sur la provenance des fonds. Cette pratique permet généralement à ces financiers de dissimuler leurs gains au fisc.

Le débat sur les paradis fiscaux et le secret bancaire connaît un regain d'intérêt depuis quelques mois. On observe une volonté de changement mais les améliorations proposées demeurent timides. La Suisse, par exemple, continue de se faire discrète sur cette épineuse question touchant les financiers qui placent leurs fortunes dans des comptes bancaires étanches.

La résistance est forte. Cependant, à l'hiver 2009, l'attitude de banquiers trop accommodants a fait l'objet de vives discussions à l'échelle internationale. Serait-on prêt à mettre de la pression sur les banquiers qui agissent de façon à la fois délibérée et intéressée à l'égard de ces financiers malhonnêtes ?

Une liste noire des paradis fiscaux a commencé à circuler dans les pays opposés à ces pratiques malsaines. Une liste « gris-noir », disent les plus cyniques, qui souhaiteraient plus de mordant dans les mesures mises de l'avant.

Au cours de l'été 2009, dans la foulée des nombreux scandales financiers, et sous la pression de l'administration de Barack Obama, une banque suisse, la puissante UBS, a été sommée de fournir une liste de plus de 4 450 noms de ses clients américains qui ont placé de l'argent

---

58. En août 2009, *Les Affaires.com* a dressé un portrait sommaire des paradis fiscaux, particulièrement en Europe.

dans ses succursales pour esquiver le fisc américain. La banque recrutait des clients aux États-Unis et leur proposait d'ouvrir des comptes bancaires. Mais les États-Unis devraient d'abord balayer devant leur porte car ils ont chez eux de véritables paradis fiscaux, comme le Delaware par exemple.

Au Canada, le gouvernement Harper tarde à prendre le taureau par les cornes sur ce terrain, bien que le ministre fédéral du Revenu, Jean-Pierre Blackburn, affirmait, en septembre 2009, qu'il s'apprêtait à agir dans le but de débusquer les financiers qui vont se réfugier en Suisse. Une rencontre a même eu lieu entre les fonctionnaires du Revenu et les autorités de la banque suisse UBS pour faire « évoluer le dossier canadien ».

Toutefois, avant de bloquer les millions qui prennent le chemin des paradis fiscaux, il faudra régler toute la question entourant les peines d'emprisonnement pour les crimes économiques. Nombreux sont les commentateurs qui réclament plus de mordant de la part du gouvernement canadien en la matière. La très forte médiatisation des fraudes à la Vincent Lacroix et à la Earl Jones semble avoir relancé le débat, en plus de démontrer les faiblesses de notre système judiciaire.

« Il faut que ça change! Il est temps que le gouvernement [Harper] modifie les lois afin de sévir comme il se doit quand les tribunaux ont affaire à des crimes économiques », avait martelé une victime d'Earl Jones, Gilly Nelles, après avoir appris qu'elle avait été volée par le soi-disant financier du West-Island. Sa famille a perdu un million de dollars dans cette fraude.

Gilly Nelles se bat pour un renforcement des lois « pour éviter la répétition des affaires Norbourg et Earl Jones ». « Nous avons vu ce qui s'est passé dans l'affaire Norbourg. Nous constatons que cette affaire a traîné en longueur. On ne veut pas répéter le même scénario », ajoutera-t-elle.

Le ministre Blackburn ouvrira une fenêtre pour les investisseurs victimes de crimes financiers en leur proposant des allégements fiscaux. Le ministre entendait utiliser son pouvoir discrétionnaire afin de permettre aux victimes de fraudeurs de respirer un peu mieux, en dépit des circonstances. Il évoquera alors la possibilité pour le fisc fédéral d'effacer les intérêts et les pénalités dans les cas où il sera démontré que les victimes ont eu affaire à des fraudeurs. Cette perche tendue par Ottawa aux victimes de fraudes allait inciter le ministère du Revenu, à Québec, à faire un geste semblable.

Il s'en trouvera pour suggérer à nos percepteurs d'impôts, tant à Ottawa qu'à Québec, de revoir tous les dossiers classés « fraudes économiques ». Une proposition pour le moins audacieuse sera même formulée sur la question touchant la perception d'impôts dans un contexte de fraude. Ainsi donc, selon ce raisonnement, s'il était démontré que des investisseurs ont payé inutilement des impôts sur de faux revenus de placement, en raison des combines de leurs courtiers malhonnêtes, serait-il justifié et justifiable de demander à nos gouvernements de rembourser à ces mêmes victimes l'argent qu'ils n'auraient jamais dû empocher ? Autrement dit, pourquoi le fisc ne retournerait-t-il pas l'argent des impôts qu'il a prélevé dans les poches des victimes de fraudeurs ?

Personne ne semble en douter: une réforme s'imposait. Et les changements aux lois devaient venir d'Ottawa. À la mi-septembre, le ministre de la Justice, Rob Nicholson, organisera une conférence de presse pour dire qu'il a « entendu le message des victimes » de crimes économiques. Il promettra de prendre les mesures qui s'imposent pour mettre la main au collet de ces « financiers » aux intentions malveillantes. Le gouvernement conservateur de Stephen Harper se fera rassurant envers les petits investisseurs, promettant de déposer un projet de loi « avec des dents ». À l'agenda : peines obligatoires, facteurs aggravants et possibilité, pour les tribunaux, d'ordonner aux coupables la restitution des montants volés à leurs clients.

Ces changements devront passer par une révision à la hausse des peines d'emprisonnement pour les financiers reconnus coupables de fraudes. Il faudra aussi s'attaquer aux « collaborateurs », aux complices, qui emboîtent le pas des escrocs.

« Il faudrait former une élite capable de déceler plus rapidement et plus efficacement les comportements frauduleux », soutiendra le professeur Messaoud Abda, début septembre 2009. Pour tisser une toile d'araignée autour des criminels à cravate, il souhaite voir les banquiers poser des questions pointues.

« On ne doit plus hésiter à demander des comptes à ces clients en veston-cravate qui semblent au-dessus de leurs affaires », insiste le professeur. Il fait allusion, entre autres, aux pratiques du financier new-yorkais déchu Bernard Madoff « qui déposait quasiment tous les jours des sommes d'argent substantielles à la Chase Manhattan Bank sans être importuné ».

Durant son « règne », Vincent Lacroix pouvait lui aussi manœuvrer à sa guise. « C'était tout de même bizarre que Norbourg ait ses comptes dans une Caisse populaire de banlieue, à La Prairie, alors que les activités de la firme de placement étaient centralisées au centre-ville de Montréal », fait remarquer Messaoud Abda.

On commence à comprendre comment Earl Jones s'est faufilé dans le système bancaire sans avoir à se justifier. Le soi-disant financier du West-Island a soutiré l'argent de ses « chers clients » au nez et à la barbe de ses banquiers. Il avait ses comptes à la Banque Royale. Cette affaire a soulevé des interrogations sur l'obligation, pour les banques canadiennes, de faire preuve d'une grande vigilance sur les sommes d'argent placées en fidéicommis dans leurs coffres. Jones pouvait retirer de 5 000 $ à 20 000 $ mensuellement, en se présentant au guichet automatique, d'un compte bancaire qui contenait l'argent de ses clients.

Trois dossiers de fraudes, trois *modus operandis*. Le professeur Abda reconnaît que les escrocs de la finance vont toujours trouver de nouvelles façons de déjouer le « système ». Mais ce n'est pas une raison, selon lui, pour baisser les bras. Il faut faire les efforts nécessaires pour mieux former et mieux éduquer les épargnants-investisseurs afin de les protéger de ces manipulateurs.

« Il est important d'envoyer un message clair aux fraudeurs. Il faut qu'ils sachent qu'ils seront vite repérés et qu'ils ne seront pas les bienvenus s'ils tentent de faire des victimes au Québec », insiste le professeur.

Incontestablement, l'affaire Norbourg a été et demeure un événement médiatique extrêmement important. On ne compte plus le nombre de fois où la photo de Vincent Lacroix a été publiée dans les journaux, magazines ou périodiques. À la télé, on a vu Vincent Lacroix se présenter au Palais de justice de Montréal, encerclé d'une horde de journalistes, de photographes et de caméramen. Le scandale Norbourg est l'un des six plus importants sujets à avoir fait l'actualité au Québec en 2005, tout juste devant l'ouragan Katrina à la Nouvelle-Orléans[59].

Le rôle des médias a-t-il été à la hauteur de l'importance du scandale de 130 M$? Les journaux, la radio, la télé et les sites Web ont-ils couvert tous les aspects de cette affaire de fraude? Le travail d'enquête journalistique a-t-il été bien fait? A-t-il permis de faire avancer le dossier Norbourg?

Si vous posez ces questions aux petits investisseurs floués, vous avez de fortes chances de vous voir répondre que les médias ont bien fait leur travail, compte tenu des circonstances. Les médias se sont fait, à leur manière, les défenseurs de ces victimes, souvent isolées, souvent dépourvues de moyens légaux pour se faire entendre devant les tribunaux.

« Ça fait toujours du bien de réaliser qu'il y a encore des médias qui s'intéressent à nous, après quatre ans », nous dira Jean-Guy Houle, le grand-père des orphelines. Mais au-delà des victimes, il faut voir quel a été l'impact de cette couverture « mur à mur » de l'affaire Norbourg. Les petits investisseurs sont-ils plus prudents parce que les médias font étalage des manœuvres frauduleuses de l'ex-PDG? Les tribunaux sont-ils plus sensibles aux doléances des petits investisseurs parce

---

59. Selon la firme Influence Communication, le plus gros dossier de l'année 2005 en matière de couverture médiatique avait été le scandale fédéral des commandites, avec le dépôt du rapport du juge Gomery et le témoignage de Jean Brault.

que les médias se font les porte-voix des citoyens et des organismes de défense des épargnants, qui réclament une plus grande fermeté dans l'application des lois dans le cas de crimes financiers?

Un fait demeure: les médias n'ont jamais autant traité de sujets touchant le placement, les finances personnelles et les crimes économiques. Les médias généralistes se sont aventurés sur un terrain jusque-là foulé par les journaux spécialisés dans ce domaine.

Mais il y a l'envers de la médaille: il avait été évoqué que cette surmédiatisation de l'affaire Norbourg risquait d'être un obstacle à la tenue du procès au criminel contre Lacroix et sa bande. Comment pouvait-on constituer un jury impartial dans la population québécoise, quand on sait que la vaste majorité des citoyens relativement bien informés s'étaient déjà fait une idée du financier déchu et de ses complices?

La constitution d'un jury posait problème quelques semaines avant le début du procès. Serait-il possible de réunir un groupe de citoyens, au Québec, qui ne connaissaient pas Vincent Lacroix ou qui n'en avaient jamais entendu parler?

L'avocate de Vincent Lacroix, Mᵉ Marie-Hélène Giroux, avait prétendu que son client ne pourrait avoir droit à un « procès juste et équitable » compte tenu de l'ampleur de la couverture médiatique. Un argument rejeté par le président de la firme Influence Communication, Jean-François Dumas. Statistiques à l'appui, il confirmera, début septembre 2009, que la couverture médias à l'endroit de Vincent Lacroix n'a pas été démesurée dans les semaines précédant la tenue du procès au criminel.

« C'est plutôt l'affaire Earl Jones qui a monopolisé l'attention des médias. Il y a eu près de quatre fois plus de nouvelles dans les médias sur Jones que sur Lacroix », constate le président du plus important courtier en information média au Canada.

Quatre ans après le déclenchement de l'affaire Norbourg, on peut parler sans gêne d'un lamentable fiasco et d'une série d'erreurs. Lacroix aura brûlé tous les feux rouges sur la route de Norbourg. Manque de vigilance ? Incompétence ? Nonchalance ?

En novembre 2001, Vincent Lacroix s'est littéralement moqué du ministère des Finances en obtenant frauduleusement une subvention de près d'un million de dollars avec la complicité du fonctionnaire-ami Jean Renaud. Cette subvention, la plus importante jamais accordée par les Finances, a non seulement donné de l'oxygène à Norbourg, elle a aussi évité la faillite à la firme de placement montréalaise.

En octobre 2002, Vincent Lacroix a survécu à une inspection menée par la CVMQ grâce à la complicité présumée de son bras droit et ex-enquêteur à la Commission, Éric Asselin. Cette inspection éveillera des soupçons sur les activités louches et sur la provenance des fonds du président de Norbourg, mais personne ne lèvera le petit doigt pour diligenter une enquête.

En décembre 2003, Vincent Lacroix se verra offrir sur un plateau les Fonds Évolution dont les actifs sous gestion atteignaient alors 132,4 M$. Le président de Norbourg fera un chèque de 4 M$ à Services financiers CDPQ, filiale de la Caisse de dépôt et placement du Québec, pour mettre la main sur Fonds Évolution. Il fera ce versement au comptant, sans emprunt bancaire, et le fait qu'il ait eu autant de « cash » dans ses poches pour acheter Évolution ne suscitera aucune interrogation.

En janvier 2003, Vincent Lacroix achètera cette fois Capital Teraxis, le réseau de distribution de fonds, dont ceux d'Évolution, moyennant un déboursé de 6,3 M$. Encore une fois, il paiera au comptant et personne ne lui posera de questions sur la provenance de ses liquidités.

En 2004, Vincent Lacroix héritera de la confiance de la firme de vérificateurs comptables KPMG. Celle-ci acceptera le mandat de vérification des états financiers de Fonds Évolution, après s'être entendue avec Lacroix, cela même alors que KPMG avait des raisons de s'inquiéter à propos de ce nouveau client.

En novembre 2004, Vincent Lacroix sera contraint de ralentir sa vitesse de croisière en raison d'une enquête déclenchée par l'AMF. Mais cette enquête, qui relançait en quelque sorte l'inspection d'octobre 2002 menée par la CVMQ, mettra du temps à démarrer. Toujours avec la collaboration d'Éric Asselin, Lacroix maquillera les documents qui lui sont réclamés par l'AMF pour les fins de l'enquête. Et les mois suivants, il videra les fonds des investisseurs jusqu'aux perquisitions du 25 août 2005.

L'affaire Norbourg a fait des ravages considérables, tant chez les petits investisseurs, victimes de Vincent Lacroix, que chez les courtiers indépendants, également victimes du comportement honteux du financier déchu.

Quelles leçons peut-on tirer de cette affaire? Le fiasco était-il évitable? Nous croyons que oui. Nous sommes convaincus que des individus, en position d'autorité, ont commis des erreurs de jugement, ou d'évaluation, c'est selon, dans le dossier Norbourg.

Nous ne pouvons nous empêcher de déplorer le laxisme dont ont fait preuve des sociétés reconnues dans leurs domaines respectifs. Nous pouvons nous demander pourquoi notre police des valeurs mobilières a mis autant de temps à intercepter Vincent Lacroix.

L'affaire Norbourg, telle que nous l'avons décrite dans ce livre, n'aurait même jamais dû avoir lieu. Les victimes n'ont pas encore perdu confiance dans le système judiciaire mais leurs attentes d'audition du recours collectif de 130,1 M$ sont à la hauteur de leurs pertes financières[60].

Pas moins de 15 « défendeurs » (accusés) sont l'objet de ce recours de 62 pages intenté par les 9 200 investisseurs floués et qui marquera la fin de l'affaire Norbourg. Parmi ceux-ci, on retrouve l'AMF, Northern Trust, KPMG, Concentra Trust.

---

60. Le procès devrait exiger de 30 à 60 jours d'audition.

Vincent Lacroix et ses sociétés (Placements Norbourg, Gestion d'actifs Perfolio, Norbourg groupe financier) font également partie des accusés, de même que ses collaborateurs : Jean Cholette, Serge Beugré, Félicien Souka et Jean Renaud. Le comptable Rémi Deschambault et la firme comptable Beaulieu Deschambault sont également visés par le recours qui devrait être le premier, et sans doute le seul, à être entendu par les tribunaux dans l'affaire Norbourg. Mais il faudra voir ce qu'il adviendra de la demande de l'AMF qui souhaitait, elle aussi, intenter son propre recours collectif.

Le PDG de l'Autorité, Jean St-Gelais, avait déjà exprimé le désir que les investisseurs floués renoncent à leur recours collectif afin de permettre à l'AMF d'attaquer ceux qu'elle considérait comme les véritables responsables de ce scandale. L'Autorité ne souhaitait pas que deux recours collectifs soient menés de front. Cette demande avait toutefois été rejetée en cour par le juge Robert Mongeon en 2008.

Le recours collectif déposé au nom des 9 200 petits investisseurs, avec le support des procureurs Larochelle et Létourneau, devrait déterminer une fois pour toutes la part de responsabilité des « acteurs » du fiasco Norbourg.

Les avocats derrière le recours ont toutefois affiché leurs couleurs, réclamant entre autres que l'AMF indemnise les victimes, parmi lesquelles on retrouve des retraités incapables de retourner au travail. Ces procureurs n'ont pas hésité à critiquer le gardien de valeurs Northern Trust pour négligence, laxisme et incompétence dans le cadre de sa relation avec les différents fiduciaires et gérants des fonds Norbourg et Évolution.

Selon les avocats des victimes, KPMG aurait commis des fautes dans la préparation et la vérification des états financiers des Fonds Évolution. On reproche enfin à la Société de fiducie Concentra d'avoir manqué de rigueur (en sa qualité de fiduciaire) dans un certain nombre de Fonds Évolution.

Ce recours collectif risque d'être un moment crucial dans la vie des petits investisseurs floués par Vincent Lacroix et sa bande. Toutefois, avant de parler d'un éventuel règlement devant les tribunaux, il faudra voir si les « responsables » faisant l'objet du recours ont tenté d'ici là de trouver un terrain d'entente.

« Nous ne pouvons spéculer sur cette question, soulignera le docteur Wilhelm Pellemans, mais il ne serait pas étonnant qu'on nous propose un règlement " hors cour " pour éviter tout ce cirque devant les tribunaux. Il s'agit bien sûr d'une hypothèse parmi d'autres. »

Le docteur Pellemans, cosignataire du recours collectif avec Michel Vézina, aurait-il des raisons de croire que le procès contre ces « responsables » n'aura pas lieu ?

« Mais je peux vous affirmer que nous n'accepterons jamais un règlement partiel pour fermer les livres. Nous voulons être indemnisés à 100 % pour les pertes financières que nous avons subies », insistera-t-il, début août 2009, dans une entrevue qu'il nous accordera à sa clinique médicale du boulevard Saint-Martin, à Laval.

D'après lui, les investisseurs floués ont « attendu trop longtemps » mais ils sont « disposés à attendre le temps qu'il faut » pour obtenir gain de cause. « Il y a longtemps que l'AMF, Northern Trust, Concentra Trust et KPMG auraient dû régler la note. Ils ne l'ont pas fait mais nous, notre position demeure inchangée. C'est tout ou rien du tout. C'est à prendre ou à laisser. Nous savons que nous avons raison sur l'ensemble des points qui sont en litige », fait-il valoir.

L'affaire Norbourg a capté l'attention des Québécois parce qu'il s'agissait d'une cause familière. C'est le voisin d'en face, cet épargnant qui s'est fait voler l'argent prévu pour sa retraite. C'est ce travailleur d'usine, cet agent immobilier qui craignent ne jamais retrouver la dizaine de milliers de dollars qu'ils croyaient en sécurité dans les Fonds Évolution. C'est aussi cet entrepreneur qui a perdu plus d'un million de dollars et qui s'en veut d'être tombé dans le panneau.

Les pertes des victimes de Vincent Lacroix ne se comptent pas uniquement en dollars. Les souffrances morales et psychologiques sont innommables. Mais très peu d'investisseurs ont aujourd'hui envie de raconter leurs déboires. La majorité d'entre eux préfèrent, et c'est leur droit, vivre leur deuil loin des micros et des caméras de télévision. Certains se sentent trahis et humiliés.

D'autres – et ils sont nombreux – ne veulent pas parler ouvertement de leur drame personnel de crainte d'inquiéter des membres de leurs familles. Voilà pourquoi, depuis le 25 août 2005, ce sont les cinq mêmes investisseurs floués qui s'expriment au nom de ces milliers de victimes.

Nous entendons fréquemment le Lavallois Jean-Guy Houle, ce grand-père des orphelines qui veille à l'éducation de l'aînée de ses deux petites-filles. Nous prenons note des commentaires de l'ex-chef de la sûreté municipale de Bromont, Réal Ouimet, qui a dû renoncer à sa retraite pour aller travailler à la station touristique de Bromont. Nous sommes émus par les commentaires du débosseleur longueuillois Michel Vézina qui fait des travaux de peinture à mi-temps « à cause de Vincent Lacroix ». Nous entendons les doléances du docteur Wilhelm Pellemans qui a accepté de monter au créneau pour défendre les investisseurs floués.

Plus discret, mais toujours percutant, le conseiller financier Gilles Viel mène ses batailles sans faillir dans la région de Québec, où il habite.

« On aurait aimé avoir l'appui d'un plus grand nombre de victimes, reconnaît Jean-Guy Houle. On aurait souhaité mener notre combat en équipe, avec des victimes prêtes à prendre la parole et déterminées à dire tout haut ce qu'elles pensent de notre système judiciaire. »

Il est déçu mais il dit « comprendre ». « Nous nous battons depuis le tout début, non seulement contre Lacroix et sa clique, mais aussi contre des organismes et des sociétés aux reins solides financièrement », déplore encore le grand-père des orphelines.

Nous n'avons pas voulu prendre un ton moralisateur dans ce récit. Mais nous n'avons pas pu nous empêcher de dire tout haut – et fort – ce que ces victimes, silencieuses, n'ont pu exprimer.

Nous espérons que leur calvaire va bientôt prendre fin. Les victimes de Vincent Lacroix ont droit au respect. Et c'est par un règlement juste et équitable que ces investisseurs, ces hommes et ces femmes dont les revenus de retraite ont été saignés effrontément, auront le sentiment de pouvoir obtenir justice. En août 2005, leur vie s'est arrêtée momentanément. Quatre ans se sont écoulés. Le financier déchu vient de passer un an et demi derrière les barreaux. Dix-huit petits mois pour une fraude de 130 M$.

Nous ne sommes pas près d'oublier l'affaire Norbourg même si l'éclatement d'autres scandales financiers va nous émouvoir dans l'avenir. Jamais plus nous ne pourrons parler de l'affaire Norbourg sans penser à ces victimes qui se sont accrochées au mince filet d'espoir d'être indemnisées. Et nous garderons en mémoire le regard

Nous avons tenté à de nombreuses reprises d'obtenir une entrevue avec Vincent Lacroix, afin de lui permettre d'avoir voix au chapitre dans ce livre-récit de l'affaire Norbourg. Nous lui avons fait parvenir des courriels et avons sollicité l'intervention de ses avocats, M\ :sup: Clemente Monterosso et M\ :sup: Marie-Hélène Giroux, afin qu'il nous ouvre les portes de sa « demeure ». En vain. Toutefois, en mai 2009, coup de théâtre. M\ :sup: Monterosso nous apprenait que son client était prêt à nous accorder une longue entrevue. Mais il posait ses conditions. Le « tarif » exigé pour la « consultation » était fixé à 5 000 $[61]. Cet argent aurait été placé dans un compte en fiducie! Vincent Lacroix voulait être payé pour le temps qu'il allait nous consacrer. Le financier déchu a, de toute évidence, encore le sens des affaires. Nous avons, il va sans dire, refusé le marché qu'il nous proposait.

En plus des entrevues réalisées, nous avons eu accès à plusieurs sources d'information, entre autres aux articles parus dans *La Presse, Le Devoir, Le Journal de Montréal, Les Affaires, Presse Canadienne, Finance et Investissement,* ainsi que sur les sites web de *Radio-Canada.ca, Cyberpresse.ca, Conseiller.ca, Les Affaires.com, canoe.com* et *RueFrontenac.com*. Nous avons également consulté les interrogatoires de Vincent Lacroix et de ses collaborateurs devant le syndic RSM Richter; la déposition d'Éric Asselin à la GRC et l'enquête de Leclerc juricomptables.

---

61. Une somme de 5 000 $ a été exigée en guise de caution en vue de la libération conditionnelle de Vincent Lacroix vers la fin juillet 2009.

27 janvier 1998	Création du Groupe financier Norbourg
Hiver 2000	Obtention par Norbourg d'un mandat de gestion de 5 M$ confié par une filiale de Desjardins (Opvest)
Hiver 2001	Tentative par Norbourg d'acheter Maxima Capital
Juin 2001	Norbourg lance ses propres fonds communs de placement (Unicys et Unicyme)
Novembre 2001	Obtention par Norbourg d'une subvention de près de 1 M$ versée par le ministère des Finances du Québec
Mars 2002	Éric Asselin devient le bras droit de Vincent Lacroix
Octobre 2002	Début de l'inspection menée par la CVMQ chez Norbourg
Avril 2003	Groupe Futur (avec 140 à 180 M$ d'actifs sous gestion) est acquis par Norbourg
Juillet 2003	Investissements BBA (un cabinet qui regroupe 200 représentants avec 600 M$ d'actifs) est acquis par Norbourg
19 décembre 2003	Norbourg achète Fonds Évolution (132,4 M$ d'actifs sous gestion) – la transaction est conclue selon le modèle *fast track*, en 35 jours plutôt que 60. Norbourg achète également le 55, rue Saint-Jacques, de la Caisse de dépôt et placement du Québec

Janvier 2004	Norbourg achète le réseau de distribution Capital Teraxis (Services financiers Teraxis, Services financiers Tandem et Info Financial Consulting Group)
Avril 2004	La Caisse populaire de La Prairie, où sont concentrées les affaires de Norbourg et le « compte fantôme », ferme les comptes de la firme de placement
Avril 2004	Northern Trust devient le gardien de valeurs pour les Fonds Évolution, en remplacement de Trust Banque Nationale ; Northern Trust gardait déjà les fonds Norbourg
Juin 2004	Desjardins met fin à son association avec Norbourg, alors responsable de la gestion de 20 M$ pour sa filiale Opvest, après la publication d'un article dans le journal *Finance et Investissement* soulevant les « incongruités » du modèle Norbourg
Août 2004	La firme de vérificateurs comptables KPMG, vérificateur des Fonds Évolution, approche Norbourg. Mais le directeur du service de sécurité physique et juricomptabilité de KPMG, Paul Loiselle, allume des feux rouges. Il dira alors qu'il serait « prudent de ne pas entreprendre de relations d'affaires avec cette société »
Août 2004	Norbourg achète Investissements SPA et Services financiers DR
Novembre 2004	L'AMF diligente une enquête concernant Norbourg
Novembre 2004	La firme KPMG entre en contact avec l'AMF dans le but d'en savoir davantage sur Norbourg. Pour toute réponse, on lui dit que Norbourg ne fait l'objet de plaintes « que de quelques clients ». Éric Asselin dira à la firme KPMG que l'argent servant aux acquisitions provient des « oncles de Vincent Lacroix » et de la filiale suisse Eurobourg

Hiver 2005	L'AMF envoie une équipe de juricomptables afin d'enquêter sur Norbourg mais le travail ne permet pas de découvrir d'« irrégularités ou d'anomalies »
Avril 2005	L'AMF revient à la charge et interroge Éric Asselin et Vincent Lacroix
Juin 2005	Norbourg met la main sur Valeurs mobilières Investpro, mais ne réussit pas à acheter MCA Valeurs mobilières, à la suite d'un blocage de l'AMF
21 juin 2005	Éric Asselin devient délateur. Il va faire une première déposition compromettante à l'équipe intégrée de la GRC
25 août 2005	La GRC et l'AMF débarquent chez Norbourg
Mars 2006	Norbourg fait faillite
Octobre 2006	Le syndic RSM Richter lance une série d'interrogatoires et fera comparaître Vincent Lacroix et ses collaborateurs chez Norbourg
Mai 2007	Début du procès au pénal contre Vincent Lacroix
Janvier 2008	Vincent Lacroix est condamné à 12 ans moins un jour en Cour du Québec
Juillet 2008	Vincent Lacroix réussit à ramener sa peine à 8 ans et demi en Cour supérieure
29 juin 2009	Vincent Lacroix est éligible à une libération provisoire à la suite de l'analyse de son dossier par la Commission des libérations conditionnelles
21 juillet 2009	L'ex-PDG de Norbourg sort de prison et passera les 18 prochains mois dans une maison de transition du quartier Saint-Henri, dans le sud-ouest de Montréal
21 août 2009	Vincent Lacroix voit sa peine ramenée à 5 ans à la suite d'un jugement rendu par trois juges de la Cour d'appel

9 septembre 2009	L'avocate de Vincent Lacroix échoue dans sa tentative en Cour supérieure de faire annuler la tenue du procès au criminel. Lacroix signifie à son avocate qu'il n'a plus les moyens de la payer pour se faire représenter à son procès
21 septembre 2009	Vincent Lacroix plaide coupable à 200 chefs d'accusation
28 septembre 2009	Début du procès des 5 co-accusés dans l'affaire Norbourg : Serge Beugré, Jean Cholette, Rémi Deschambault, Jean Renaud, Félicien Souka

(source principale : *Finance et Investissement*)

Photo provenant des documents officiels

Vincent Lacroix s'est rendu à de très nombreuses reprises en Suisse, à compter de 2002, où il avait de grandes ambitions pour la filiale Eurobourg. Ces voyages d'affaires lui permettaient de « socialiser » et de siroter des bières blondes avec des membres de son équipe. On retrouve de gauche à droite : Vincent Lacroix, Me Alain Dussault, Serge Beugré, Éric Asselin et Gilles Hallé.

La maison de la rue Dagobert, à Candiac, propriété des Lacroix, a été acquise avec les fonds des investisseurs de Norbourg. Le cottage de banlieue était toujours habité par la conjointe et les enfants de Vincent Lacroix, à la fin de l'été 2009.

Vincent Lacroix aimait fréquenter les hommes politiques et il n'hésitait pas à se faire photographier avec certains d'entre eux pour se donner une image de PDG influent du placement. C'est ainsi qu'il avait posé en compagnie de Bernard Landry lors d'un événement officiel à Montréal où il était question du Centre financier international (CFI).

Vincent Lacroix était tiré à quatre épingles et marchait d'un pas décidé, à l'automne 2007, lors de son procès au pénal. Mais derrière ce déguisement se cachait un financier qui avait dilapidé les épargnes de ses clients-investisseurs au cours d'un règne éphémère à la tête de Norbourg.

25 août 2005. Les policiers de la GRC et les enquêteurs de l'AMF débarquent chez Norbourg, au siège social du boulevard René-Lévesque Ouest. Ces perquisitions mettront un terme aux activités frauduleuses de la firme de placement montréalaise.

Vincent Lacroix a assuré seul sa défense lors de son procès au pénal en 2007. L'ex-PDG a transporté lui-même ses boîtes contenant des informations sur les activités de Norbourg. L'exercice s'est avéré inutile pour le financier déchu, qui a été condamné au pénal à une peine de 12 ans moins un jour, en janvier 2008.

Vincent Lacroix a tenté par tous les moyens de défendre ses agissements frauduleux devant les tribunaux. On l'a même vu se présenter en cour avec cette édition d'*Alter ego*, un livre documenté sur les chartes des droits de la personne. Lacroix a prétendu qu'il n'aurait pas droit à un procès juste et équitable compte tenu de la très forte médiatisation de l'affaire Norbourg.

Vincent Lacroix avait encore des airs de PDG en veston-cravate lorsqu'il se présentait au Palais de justice de Montréal pour défendre sa cause... perdue d'avance. Mais cet agent de sécurité ne semblait guère impressionné par le personnage.

À l'été 2009, Vincent Lacroix a bénéficié d'une libération conditionnelle dans une maison de transition du quartier Saint-Henri. À peine descendu du fourgon cellulaire, le « nouveau Vincent Lacroix » a été chahuté par des citoyens et des investisseurs en colère.

262

© Jacques Nadeau

Flanqué de son avocate, Me Marie-Hélène Giroux, Vincent Lacroix quitte le Palais de justice de Montréal sous escorte policière en transportant deux porte-documents. À la mi-septembre 2009, l'accusé renoncera à un procès au criminel devant juge et jury et plaidera coupable à 200 chefs d'accusation qui pesaient contre lui.

© Jacques Nadeau

Jean Renaud

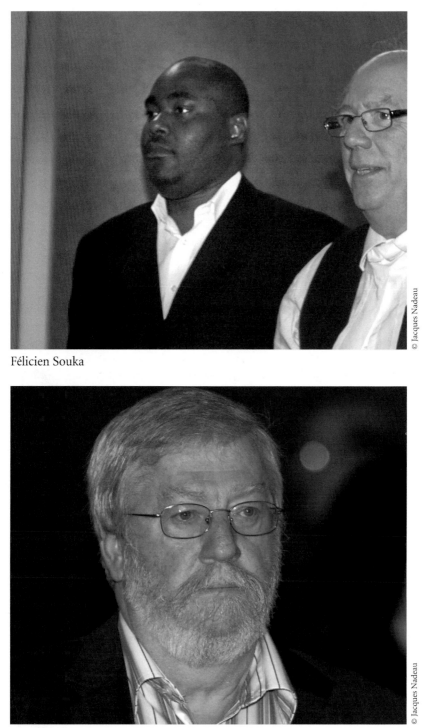

Félicien Souka

Rémi Deschambault

Serge Beugré

Jean Cholette

L'affaire Norbourg est un trou noir dans la vie de Jean-Guy Houle, le grand-père des orphelines qui ont perdu 195 000 $ dans le scandale financier fomenté par Vincent Lacroix. L'une des deux orphelines, Daphney, en arrière-plan, est ainsi privée de l'héritage de ses parents décédés tragiquement.